2025
年度版
みんなが欲しかった!
賃貸
不動産経営
管理士
TAC賃貸不動産経営管理士講座
合格への
はじめの一歩

TAC出版
JN007005

はしがき

賃貸住宅の割合が住宅全体の３割程度を占め、国民の重要な住宅ストックとなっています。一方で、明渡し時に敷金が返還されないといった貸主と借主の間のトラブルや、業者が貸主から部屋を借り上げ（マスターリース）、別の入居者に転貸（サブリース）する際に、空室時にも業者が家賃を支払うと謳ったにもかかわらず、保証したはずの家賃を一方的に減額されたり、家賃そのものが支払われなかったりするトラブルが後を絶ちません。また、賃貸物件の老朽化や空き家化も社会問題となっています。

このような背景から、賃貸物件管理の専門知識を身につけた専門家として**賃貸不動産経営管理士**に対する社会のニーズが高まっています。さらに、2021年より**国家資格**となり、ますます注目を集めています。しかし、資格取得に際して「法律や建築設備などの学習が初めてでも大丈夫だろうか？」と不安を覚える方も多くいらっしゃると思います。

そこで、賃貸不動産経営管理士に初めてチャレンジする方のために、〝**本気でわかりやすい入門書**〟として本書を制作しました。

＊＊＊ わかりやすさを追求した「２部構成」＊＊＊

① **「オリエンテーション編」**

読みやすいフルカラーのレイアウトで、賃貸不動産経営管理士の全体像をしっかりと紹介しています。

② **「入門講義編」**

合格に必要な「**基礎中の基礎**」の知識を、イラストや「板書」を多用して、できるかぎりわかりやすく説明しました。

本書にて、賃貸不動産経営管理士試験で必要な基本をしっかり身につけ、合格への「確かな一歩」を踏み出しましょう。

2024年10月

TAC賃貸不動産経営管理士講座

学習プランのご紹介

入門・基礎

1 賃貸不動産経営管理士 合格へのはじめの一歩

- 「オリエンテーション編」で賃貸不動産経営管理士の資格と試験についてイメージをつかみましょう。
- 「入門講義編」で、各CHAPTERの全体像をつかみましょう。

2 賃貸不動産経営管理士の教科書

- まずは1回、ざっと読んで全体像をつかみましょう。わからないところがあっても、どんどん読み飛ばします。
- 次に本文をじっくり、力を入れて読みましょう。その際「TRY !過去問」は必ず解きましょう。できないときは、すぐに本文に戻って知識を確認しましょう。

実力養成

3 賃貸不動産経営管理士の一問一答問題集

- 「教科書」のGHAPTER、Section、見出しごとに「一問一答問題集」を解きましょう。
- あやふやな箇所や間違った問題については、「教科書」に戻って復習しましょう。

4 賃貸不動産経営管理士の過去問題集

- 「教科書」「一問一答問題集」と併行して、「過去問題集」を解きましょう。
- できなかった問題は、解説に記載されているリンクをもとに「教科書」に戻って確認しましょう。

ここでは、TAC出版刊（「みんなが欲しかった！　賃貸不動産経営管理士シリーズ」・「直前対策本」）のご紹介と、それらの書籍を使った、「はじめの一歩」から合格までのプランをご紹介します。

直前期

5 出るとこ予想 合格るチェックシート

直前期は「合格るチェックシート」を読んで、本試験で出題が予想される箇所を確認しましょう。理解が足りない箇所は「教科書」に戻って復習しましょう。

6 本試験をあてる TAC直前予想模試

- 出題傾向を徹底分析した予想問題を3回分収録しています。
- 問題部分は回数ごとに取り外せるようになっています。実際の本試験ソックリに作成されているため、本試験を意識したシミュレーションを行えます。

※装丁、書籍名、刊行内容は変更することがあります。

「合格へのはじめの一歩」*Contents*

はしがき
学習プランのご紹介
本書を利用した学習法

オリエンテーション編

「賃貸不動産経営管理士（業務管理者）」になるまで …… x

「賃貸不動産経営管理士（業務管理者）」ってどんな資格？ …… xii

「賃貸不動産経営管理士試験」ってどんな試験？ …… xvi

入門講義編

CHAPTER 1 賃貸住宅管理業法等

Sec.1 賃貸住宅管理業者 …… 4
Sec.2 業務管理者 …… 9
Sec.3 賃貸住宅管理業者の義務 …… 11
Sec.4 特定転貸事業者・勧誘者 …… 16
Sec.5 特定転貸事業者・勧誘者の義務 …… 18
Sec.6 賃貸住宅管理業者の社会的役割 …… 23
Sec.7 賃貸不動産経営管理士 …… 26

CHAPTER 2 賃貸不動産管理の実務

Sec.1 借主の募集・広告等 …… 32
Sec.2 入居審査等 …… 38
Sec.3 賃貸管理の実務 …… 42
Sec.4 滞納賃料の回収等 …… 48
Sec.5 原状回復ガイドライン …… 52

CHAPTER 3 実務に関する法令等

Sec.1 賃貸借契約（修繕義務等） …… 60
Sec.2 賃貸借契約（賃料等の支払） …… 63
Sec.3 賃貸借契約（敷金等） …… 66
Sec.4 賃貸借契約（更新・解約） …… 69
Sec.5 賃貸借契約（賃借権の譲渡・転貸借） …… 73
Sec.6 建物の所有者の変更 …… 77

Sec.7 賃貸借契約（定期建物賃貸借） …… 80
Sec.8 契約の取消し …… 82
Sec.9 保証 …… 85
Sec.10 委任 …… 89
Sec.11 請負契約 …… 93
Sec.12 個人情報保護法 …… 95
Sec.13 その他法令等 …… 99
Sec.14 賃貸住宅標準契約書等 …… 106

CHAPTER 4
建物・設備

Sec.1 建築構造等 …… 114
Sec.2 建築基準法 …… 119
Sec.3 建築設備 …… 123
Sec.4 維持保全 …… 135

CHAPTER 5
賃貸不動産経営への支援業務

Sec.1 賃貸住宅の企画提案 …… 144
Sec.2 保険 …… 148
Sec.3 税金 …… 151
Sec.4 会計処理 …… 159
Sec.5 不動産証券化 …… 166

さくいん …… 173

本書を利用した学習法

1 「オリエンテーション編」で、資格や試験の内容を理解しよう!

まずは、「賃貸不動産経営管理士って、どんな仕事をするの?」「どんな試験なの?」など、資格の詳細について、イラストとともに楽しく見ていきましょう。

2 「入門講義編」で、合格のための基礎知識を学ぼう!

ここでは、試験の重要なテーマで、かつ、「理解の土台」となる基礎知識を、わかりやすくまとめています。やさしい言葉とポイントをおさえた「板書」を使って解説していますので、学習がはじめての方でも、ムリなくスムーズに読み進めることができます。

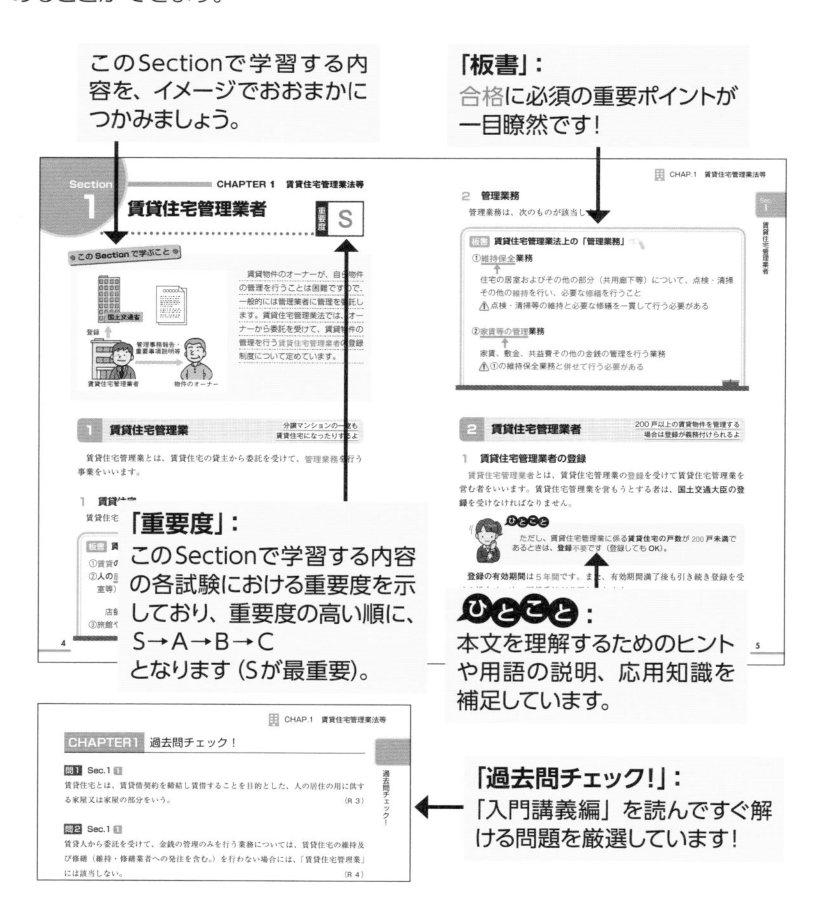

オリエンテーション編

「賃貸不動産経営管理士（業務管理者）」になるまで

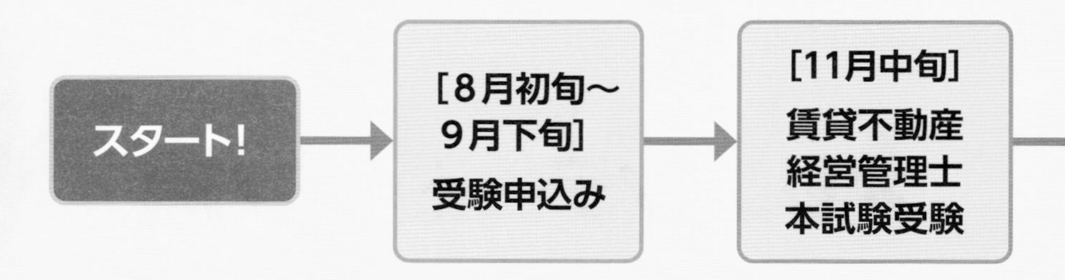

「賃貸不動産経営管理士」と「業務管理者」の関係

賃貸不動産経営管理士は、「賃貸住宅の管理業務等の適正化に関する法律（以下、法律）」における、賃貸住宅管理業務を行う上で設置が義務付けられている「業務管理者」の要件※となる国家資格です。

※業務管理者（法律第12条第４項）

賃貸住宅管理業者が業務の管理・監督に関する事務を行うために、営業所又は事務所ごとに１人以上置かなければならない、業務に関する必要な知識と能力、実務経験を有する者

※業務管理者の要件（法律施行規則第14条）

管理業務に関し２年以上の実務経験を有する者で

1. 登録試験（令和３年度以降の賃貸不動産経営管理士試験）に合格し登録した者（第１号）
2. 宅地建物取引士で「指定講習（賃貸住宅管理業業務管理者講習）」を修了した者（第２号）

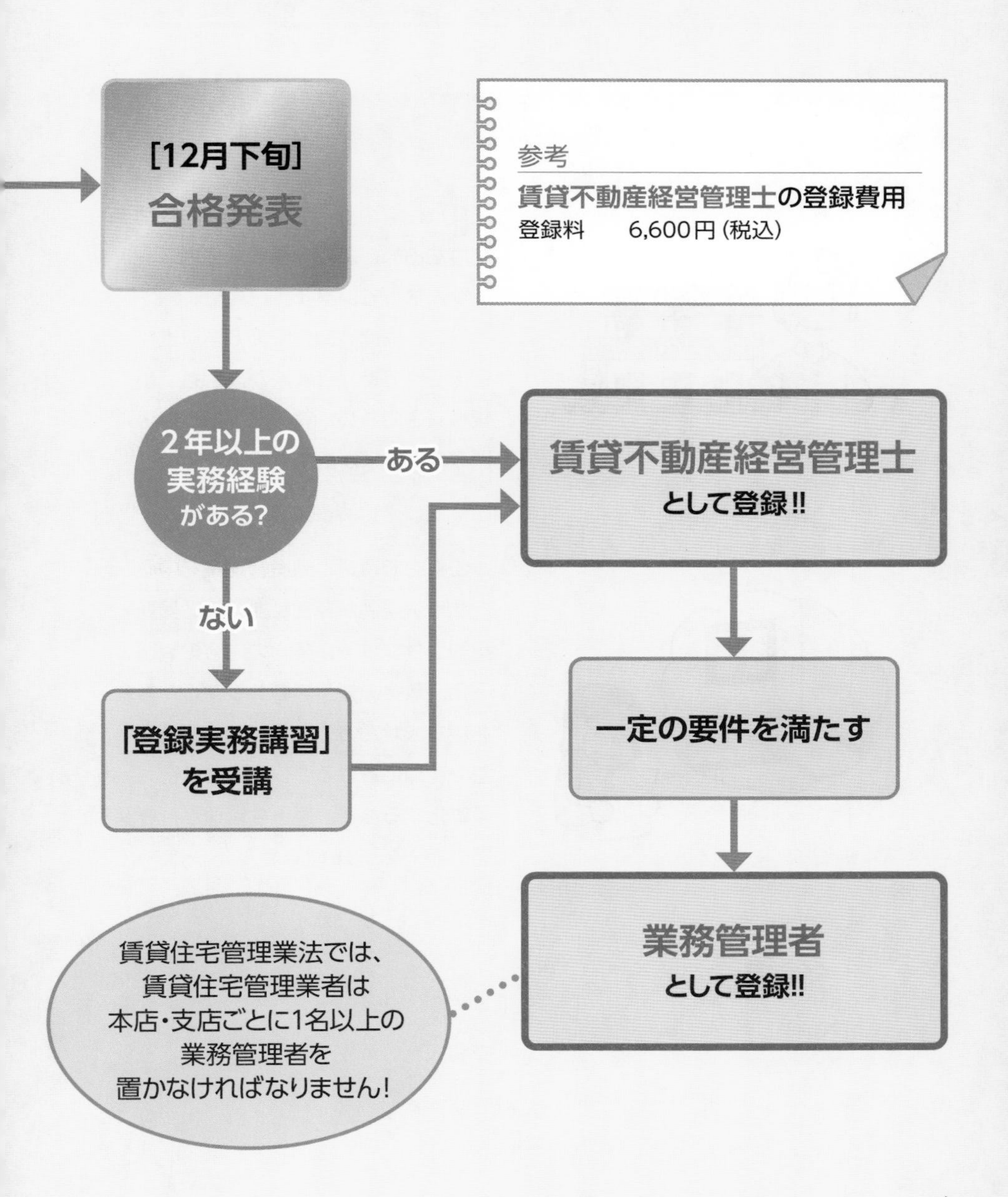
[12月下旬]
合格発表
参考
賃貸不動産経営管理士の登録費用
登録料　6,600円(税込)
2年以上の実務経験がある?
ある
賃貸不動産経営管理士
として登録!!
ない
「登録実務講習」を受講
一定の要件を満たす
業務管理者
として登録!!
賃貸住宅管理業法では、賃貸住宅管理業者は本店・支店ごとに1名以上の業務管理者を置かなければなりません!

「賃貸不動産経営管理士（業務管理者）」って どんな資格？

賃貸不動産経営管理士ってどんな資格？

オーナー（貸主）

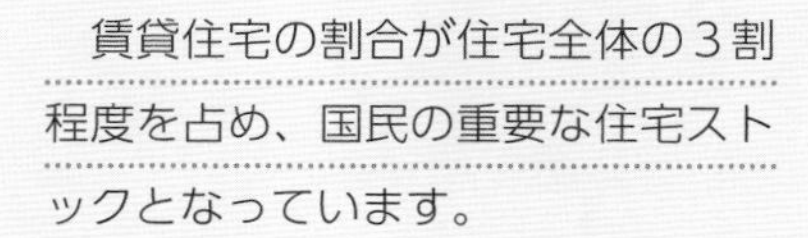

賃貸住宅の割合が住宅全体の３割程度を占め、国民の重要な住宅ストックとなっています。

また、民間賃貸住宅の８割以上が個人経営であり、多くが高齢者、小規模貸主のため、賃貸住宅管理の専門家のニーズが高まっています。

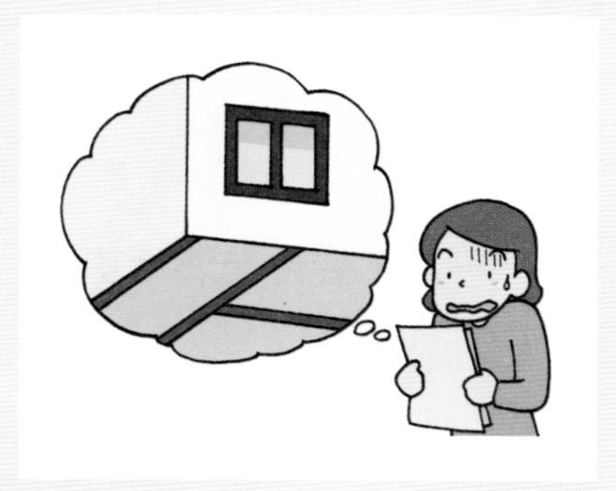

これまで賃貸不動産管理業を中心とする法規制が存在せず、管理受託契約やサブリース契約の内容の説明不足、敷金の返還等のトラブルが後を絶ちませんでした。また、賃貸住宅の管理におけるクレームの内容も複雑化するなど、適正な管理が行き届いているとはいえません。

そこで、賃貸住宅管理業法が2021年6月に施行されました。この法律では、賃貸住宅管理業者が管理業務を適正に実施するため、**業務管理者**を営業所等ごとに1名以上設置しなければならないとしています。**賃貸不動産経営管理士**は、この業務管理者になることができる資格です。

賃貸不動産経営管理士は、賃貸不動産の管理のプロとして、賃貸不動産の適切な管理や、貸主と借主間のトラブル解決、空き家等の有効活用の提案等を行うことが求められています。

資格取得後① 就職・転職に有利

賃貸不動産経営管理士は、賃貸住宅管理業者では必須である**業務管理者**になることができる資格ですので、賃貸不動産管理会社への就職・転職に非常に役立ちます。

資格取得後② 賃貸物件のオーナー等におすすめ

賃貸物件のオーナーやこれからオーナーになろうとする人は、賃貸不動産経営管理士試験について勉強することで、賃貸物件の経営に必要な知識を身につけることができます。

資格取得後③ 借主も法律を知ることで自己防衛できるようになります

借主は、民法や借地借家法を勉強することで、自分の権利を主張したり、貸主からの不当な請求等に対抗することができるようになります。

他の資格との関係① 宅建士とのダブルライセンスを目指す

学習内容に共通性のある資格としては、**宅地建物取引士**（宅建士）があります。宅建士は賃貸不動産の仲介等をする際に、借主に重要事項説明等を行います。

同じ賃貸不動産に関係する資格なので、業務の親和性が高いのです。

他の資格との関係② さらに管理業務主任者・マンション管理士とのクアドラプルライセンスも!

他に学習内容に共通性のある資格として、**管理業務主任者**（管業）があります。管理業務主任者は、分譲マンションの管理をする際に、管理組合に重要事項説明等を行います。

さらに**マンション管理士**（マン管）を取得すれば、業務範囲はより一層広がります。賃貸不動産経営管理士・宅建士・管理業務主任者・マンション管理士のクアドラプルライセンスを取得すれば、より一層就職・転職に有利になります！

賃貸不動産経営管理士・宅建士・管業・マン管の共通出題科目

	賃貸不動産経営管理士	宅建士	管理業務主任者	マンション管理士
民法	5問	11問	7問	6問
借地借家法	2～3問	2問	1問	1問
宅建業法	1～2問	20問	1～2問	1問
区分所有法	なし	1問	5～7問	9～10問
建築基準法	3～4問	2問	1～2問	1～2問
建築設備	2～3問	なし	4～5問	3～4問
税金	1～3問	2問	1問	1問

出題数等の違いはありますが、多くの科目が共通しています（上の表は、問題数の目安です）。１つの資格で学習した内容を無駄にすることなく、他資格の学習を開始できます。

「賃貸不動産経営管理士試験」って どんな試験？

賃貸不動産経営管理士試験の受験者数・合格者数等

年度	受験者数	合格者数	合格率	合格ライン（40問中、2020年度以降は50問中）
2018	18,488名	9,379名	50.7%	29問
2019	23,605名	8,698名	36.8%	29問
2020	27,338名	8,146名	29.8%	34問
2021	32,459名	10,240名	31.5%	40問
2022	31,687名	8,774名	27.7%	34問
2023	28,299名	7,972名	28.2%	36問

合格率は、2021年度が31.5%、2022年度が27.7%、2023年度が28.2%と、ここ3年は30%前後の合格率となっています。

2023年度の試験の合格ラインは「50問中36問」でした。2020年度から問題数が50問となりましたが、昨年度は難化した2022年度試験を受けて受験生が十分な対策をできたこともあり、合格ラインは前年の「50問中34問」から2問上がりました。

令和5年度賃貸不動産経営管理士試験・受験申込者の男女別割合

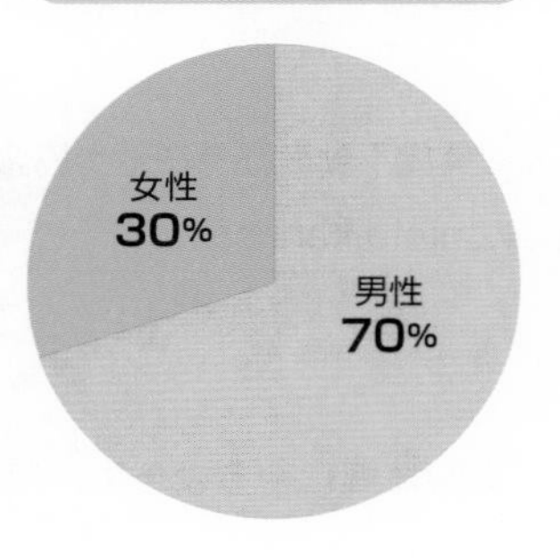

申込者の7割が男性なのが特徴です。すでに実務に就いている方たちにも人気がある資格といえます。

令和5年度賃貸不動産経営管理士試験・合格者の平均年齢

合格者の平均年齢

全体　43.2歳

(男性 44.3歳　女性 40.8歳)

合格者の平均年齢は全体で43.2歳ですが、女性の方が低い傾向があります。

賃貸不動産経営管理士　本試験スケジュール

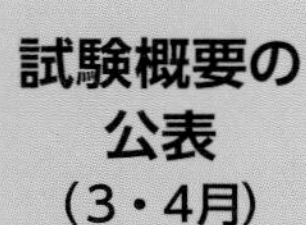

試験概要の公表
（3・4月）

試験実施機関のホームページで試験概要が公表されます。

一般社団法人　賃貸不動産経営管理士協議会
https://www.chintaikanrishi.jp/

▼

受験案内・申込書の配布
（8月～9月）

受験申込みの期限に間に合うように、早めに手に入れましょう。

▼

受験申込
（8月～9月）

受験手数料を専用の払込用紙やクレジットカード等で納付し、受験申込書を郵送するかインターネットで申し込みます。

受験料：12,000 円

▼

試験日
（11 月中旬）

試験時間　午後1時～3時

▼

合格発表
（12 月下旬）

受験者全員に合否の通知が届きます。

試験実施機関のホームページでも、合格者の受験番号が掲載されます。

試験の概要と受験資格

試験方法 マークシート

問題数 50問

試験時間 120分

賃貸不動産経営管理士試験は、50問・四肢択一・マークシートの試験です。

受験地

北海道、青森、岩手、宮城、福島、群馬、栃木、茨城、埼玉、千葉、東京、神奈川、新潟、石川、長野、静岡、岐阜、愛知、三重、滋賀、奈良、京都、大阪、兵庫、島根、岡山、広島、山口、香川、愛媛、高知、福岡、熊本、長崎、大分、宮崎、鹿児島、沖縄

全国38地域で実施されます。

受験資格

な し

賃貸不動産経営管理士試験は、年齢、性別、学歴等に制約はありません。どなたでも受験できます。

「5問免除者（試験一部免除者）」とは…

5問免除講習受講

本試験の一部が免除される

5問免除講習を受講すると、本試験で問46～問50までの5問が免除されます。令和5年現在では、5問免除の対象となる科目は決まっていないので、5問免除講習を受講しても、本試験の範囲をまんべんなく勉強する必要があります。

賃貸不動産経営管理士の各出題分野における学習指針

直近の令和５年度本試験（全50問）における出題分野と出題数は、次のとおりです。

出題範囲	出題数
①賃貸管理の意義・役割等	0問
②賃貸住宅管理業法	18問
③賃貸不動産経営管理士	2問
④借主の募集等	2問
⑤管理実務	6問
⑥民法・借地借家法等	8問
⑦管理受託契約等	2問
⑧建物・設備の知識	9問
⑨賃貸業への支援業務等	3問

賃貸住宅管理業法が18問と一番多く出題されています。法律の条文だけでなく、解釈・運用の考え方やガイドライン等からも出題されていますので、幅広く学習する必要があります。

賃貸借契約に関係する民法や借地借家法等が８問出題されています。この分野は細かい判例等からも出題されていますので、いかに攻略するかが合格のカギとなります。

また、建物・設備の知識からも９問出題されています。細かい知識が問われることもありますが、深入りはせず、基本的な論点を確実に解答できるようにしましょう。

主な出題科目

①賃貸住宅管理業法

賃貸不動産のオーナーと賃貸住宅管理業者・サブリース業者との間のトラブルを防止するための法律です。賃貸住宅管理業者やサブリース業者にはオーナーに対する**重要事項の説明**や**契約書の交付**が義務づけられています。

②賃貸不動産管理の実務

賃貸住宅の管理は、**借主の募集**から**賃料の請求**、明渡し時の**原状回復・敷金精算**と多岐にわたります。これらを適法に行うには、宅建業法や民事訴訟法等の法令が、どのような場面で適用されるかを正しく知っておく必要があります。

③実務に関する法令等

物件を賃貸する場合、民法の賃貸借契約の規定と借地借家法が適用されます。また、オーナーが賃貸住宅管理業者との間で締結する**管理受託契約**は、民法上の委任契約や請負契約の規定が適用されます。民法や借地借家法でどのような権利や義務が認められるかを理解しておくことは、賃貸物件の管理では必須です。

④建物・設備

賃貸住宅には、消火器や火災警報装置等の消防用設備、給水管・排水管等の給・排水設備、ガスメーターや給湯器等のガス設備といった様々な設備が設置されています。これらの**点検・維持**は賃貸住宅を管理する上で非常に重要となります。

⑤賃貸不動産経営への支援業務

賃貸不動産経営が事業として成り立つか否かを判断するためには会計の知識が欠かせません。また、賃貸不動産に係る各種の税金やリスク回避の保険の知識も必要となります。賃貸不動産経営管理士が、これらについて適切にアドバイスすることが求められます。

入門講義編

CHAPTER 1
賃貸住宅管理業法等

Sec. 1 賃貸住宅管理業者
Sec. 2 業務管理者
Sec. 3 賃貸住宅管理業者の義務
Sec. 4 特定転貸事業者・勧誘者
Sec. 5 特定転貸事業者・勧誘者の義務
Sec. 6 賃貸住宅管理業者の社会的役割
Sec. 7 賃貸不動産経営管理士

Section 1

賃貸住宅管理業者

このSectionで学ぶこと

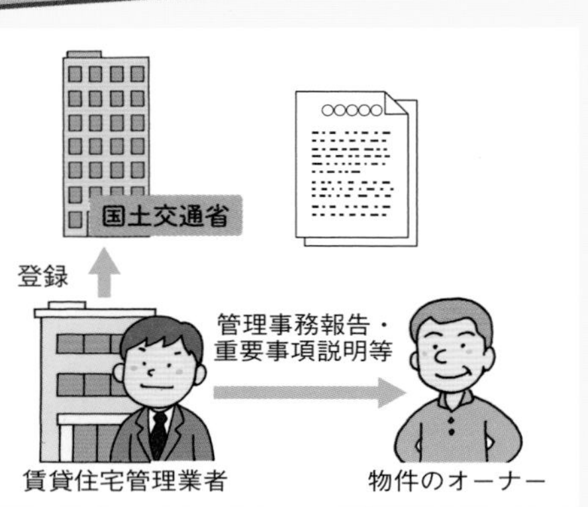

賃貸物件のオーナーが、自ら物件の管理を行うことは困難ですので、一般的には管理業者に管理を委託します。賃貸住宅管理業法では、オーナーから委託を受けて、賃貸物件の管理を行う賃貸住宅管理業者の登録制度について定めています。

1 賃貸住宅管理業

分譲マンションの一室も賃貸住宅になったりするよ

賃貸住宅管理業とは、賃貸住宅の貸主から委託を受けて、管理業務を行う事業をいいます。

1 賃貸住宅

賃貸住宅管理業法でいう**賃貸住宅**とは、次のものをいいます。

板書 賃貸住宅管理業法上の「賃貸住宅」

①**賃貸の用**に供する住宅であること

②**人の居住の用**に供する家屋または家屋の部分（居住用マンションの一室等）であること

↑ 店舗やオフィスビルは非該当！

③旅館や民泊の目的で使用されていないこと

2 管理業務

管理業務は、次のものが該当します。

板書 賃貸住宅管理業法上の「管理業務」

①維持保全業務

住宅の居室およびその他の部分（共用廊下等）について、点検・清掃その他の維持を行い、必要な修繕を行うこと

⚠点検・清掃等の維持と必要な修繕を一貫して行う必要がある

②家賃等の管理業務

家賃、敷金、共益費その他の金銭の管理を行う業務

⚠①の維持保全業務と併せて行う必要がある

2 賃貸住宅管理業者

200戸以上の賃貸物件を管理する場合は登録が義務付けられるよ

1 賃貸住宅管理業者の登録

賃貸住宅管理業者とは、賃貸住宅管理業の登録を受けて賃貸住宅管理業を営む者をいいます。賃貸住宅管理業を営もうとする者は、**国土交通大臣の登録**を受けなければなりません。

ひとこと

ただし、賃貸住宅管理業に係る**賃貸住宅の戸数**が200**戸未満**であるときは、**登録**不要です（登録してもOK）。

登録の有効期間は5年間です。また、有効期間満了後も引き続き登録を受ける場合は、次の更新手続が必要となります。

板書 登録の更新

更新の申請期間	有効期間の満了の日の90日前から30日前までの間
更新後の有効期間	従前の登録の有効期間の満了の日の翌日から起算して5年間

2 登録拒否事由

国土交通大臣は、賃貸住宅管理業の登録を受けようとする者が**登録拒否事由**に該当する場合は登録を拒否しなければなりません。

板書 登録拒否事由（抜粋）

- 不正手段により登録を受けたことにより**登録を取り消され**、その取消しの日から5年を経過しない者
- 賃貸住宅管理業を遂行するために必要と認められる基準に適合する財産的基礎を有しない者
- 営業所または事務所ごとに業務管理者を確実に選任すると認められない者

3 登録事項と変更の届出

国土交通大臣は、登録の申請があった場合、登録拒否事由があったときを除いて、登録を受けた者の**商号・住所**等の一定事項を登録簿に登録しなければなりません。

また、登録事項に変更があった場合、賃貸住宅管理業者は、変更の日から30日**以内**にその旨を国土交通大臣に**届け出なければなりません**。

4 廃業等の届出

賃貸住宅管理業者が、死亡や廃業等の一定事由に該当した場合、相続人等の届出義務者は、その日（死亡の場合は、その事実を知った日）から30日

以内に、国土交通大臣にその旨を**届け出なければなりません**。

5　賃貸住宅管理業の方式

賃貸住宅管理業の方式には、管理受託方式とサブリース方式の２種類があります。

❶　管理受託方式

賃貸住宅管理業者が貸主（オーナー）との間で**管理受託契約**を締結し、この契約に基づいて管理業務を行う方式です。

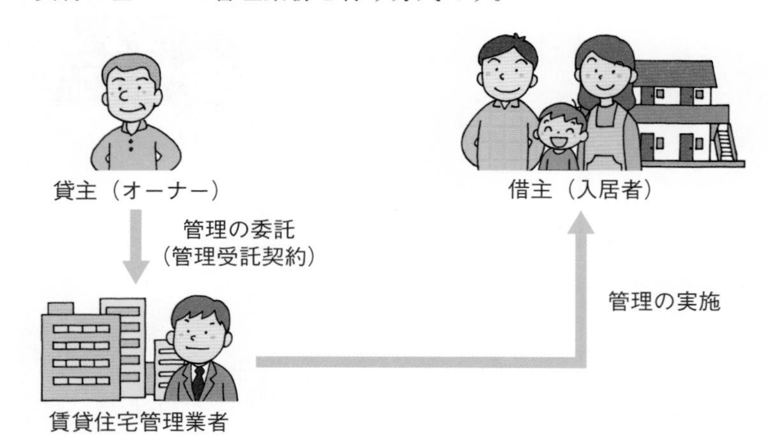

❷　サブリース方式

特定転貸事業者が貸主（オーナー）と賃貸住宅について**特定賃貸借契約**（原賃貸借契約：マスターリース契約ともいいます）を締結し、借主である特定転貸事業者（管理戸数が200戸以上の場合は、賃貸住宅管理業の登録が必要）が転貸人として、転借人（入居者）と**転貸借契約**（サブリース契約）を締結して、管理業務を行う方式です。

ひとこと

特定転貸事業者は、あくまでサブリースを目的とする事業者ですので、必ずしも管理業務を行うとは限りません。管理戸数が200戸以上になると、賃貸住宅管理業者として登録が必要となります。

特定賃貸借契約
（マスターリース契約）
貸主（オーナー）

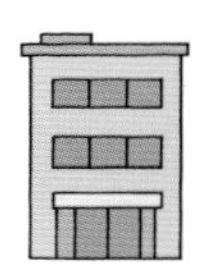
転貸人
（賃貸住宅管理業者・特定転貸事業者）
転貸借契約
（サブリース契約）
管理の
実施
転借人（入居者）

Section 2 業務管理者

このSectionで学ぶこと

業務管理者は、賃貸住宅管理業者の業務等を**管理・監督**する立場の人をいい、賃貸住宅管理業者は、営業所等ごとに、１人以上の業務管理者の選任が義務付けられています。業務管理者には、賃貸住宅の管理に関し、知識と能力、実務経験等が求められています。

1 業務管理者とは

賃貸管理業者の業務を管理・監督する専門家だよ

業務管理者とは、賃貸住宅管理業者の業務に対して、**管理・監督**に関する事務を行うために必要な知識と能力、実務経験を有する者をいいます。

2 業務管理者の選任

業務管理者は営業所等ごとに必要だよ

賃貸住宅管理業者は、その**営業所等ごと**に、**１人以上**の**業務管理者**を選任しなければなりません。なお、業務管理者は、**他の営業所等**の**業務管理者となることは**できません。

ひとこと

業務管理者が退社等で不在となったときは、新たに業務管理者を選任するまでの間は、その営業所等において**管理受託契約を締結**することができません。

3 業務管理者の資格

賃貸不動産経営管理士等の資格が必要だよ

業務管理者になるには、次の要件が必要です。

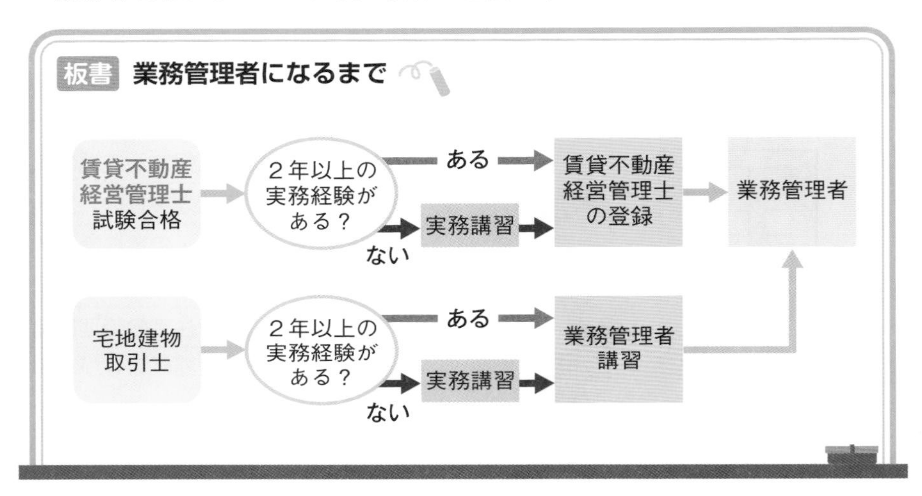

4 業務管理者の管理・監督に関する事務

業務管理者が管理・監督するよ

賃貸住宅管理業者は、**業務管理者**に、営業所等における業務に関し、管理受託契約の内容の明確性、管理業務として行う賃貸住宅の維持保全の実施方法の妥当性その他の賃貸住宅の入居者の居住の安定・賃貸住宅の賃貸に係る事業の円滑な実施を確保するために必要な一定の事項についての**管理・監督に関する事務**を行わせなければなりません。

Section 3 賃貸住宅管理業者の義務

重要度 S

このSectionで学ぶこと

賃貸物件のオーナーと賃貸住宅管理業者が締結する管理受託契約の内容は、家賃等の管理から維持保全まで広範にわたります。そこで、オーナーに契約内容を十分に理解してもらった上で契約してもらうため、賃貸住宅管理業法では、**重要事項の説明等**について定めています。

1 管理受託契約の重要事項の説明義務

契約内容を十分に理解してもらうための手続だよ

賃貸住宅管理業者は、**管理受託契約の締結前**に、管理業務を委託しようとする賃貸住宅の**貸主**（委託者、物件のオーナー）に対し、管理受託契約の内容およびその履行に関する**重要事項**について、**重要事項説明書を交付**して説明しなければなりません。

板書 重要事項説明

①説明をする時期	契約の締結**前**に説明する ⚠説明から契約締結までに１週間程度の期間をおくことが望ましい（任意）
②説明をする者	賃貸住宅管理業者の従業者等 ⚠業務管理者でなくても説明できる ⚠一定の実務経験を有する者や賃貸不動産経営管理士によって行われることが望ましい（任意）

③説明の相手方	賃貸住宅の貸主（委託者、物件のオーナー）
④重要事項説明書の交付の方法	原則：書面を交付する 例外：貸主の承諾があれば、電磁的方法で提供可能

管理受託契約の重要事項の説明の対象となる事項には以下のものがあります。

板書 重要事項説明の対象となる事項（抜粋）

①管理業務の内容および実施方法
②報酬の額ならびにその支払の時期および方法
③管理業務の一部の再委託に関する事項
④管理受託契約の更新および解除に関する事項

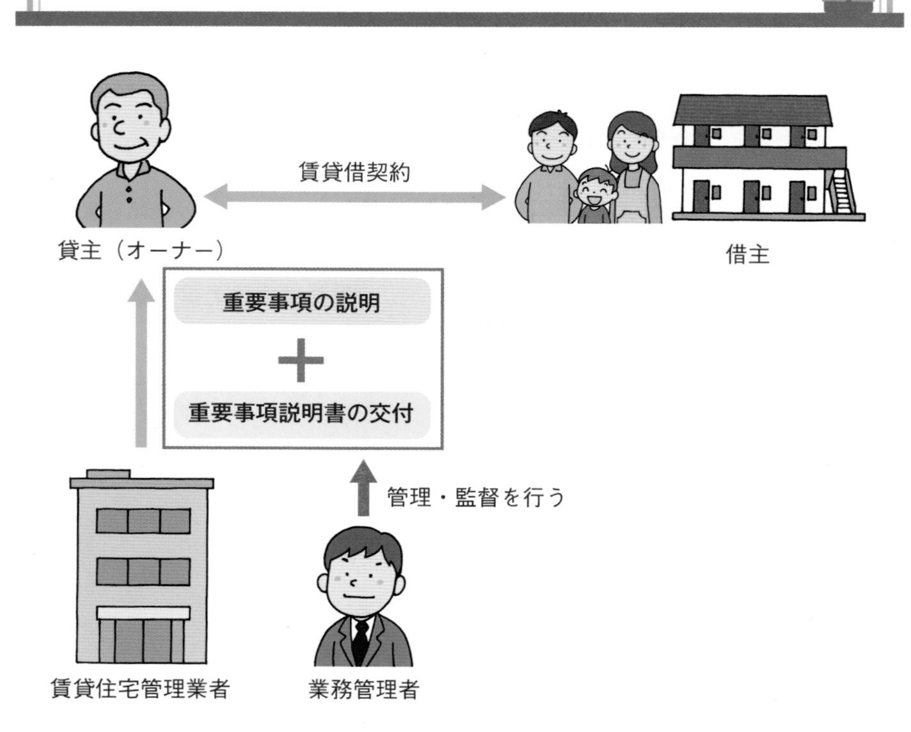

2 管理受託契約の締結時の書面の交付

一般的には管理受託契約書が該当するよ

賃貸住宅管理業者は、**管理受託契約を締結したとき**は、管理業務を委託する賃貸住宅の貸主（委託者）に対し、遅滞なく、一定の事項を記載した書面（**管理受託契約の締結時の書面**）を交付しなければなりません。

管理受託契約の締結時の書面は、一定事項が記載されていれば、管理受託契約書と兼ねることができます。

管理受託契約の締結時の書面の記載事項には以下のものがあります。

板書 管理受託契約の締結時の書面の記載事項（抜粋）

①管理業務の対象となる賃貸住宅
②管理業務の実施方法
③契約期間に関する事項
④報酬に関する事項

ひとこと

貸主の承諾があれば、電磁的方法で提供することもできます。

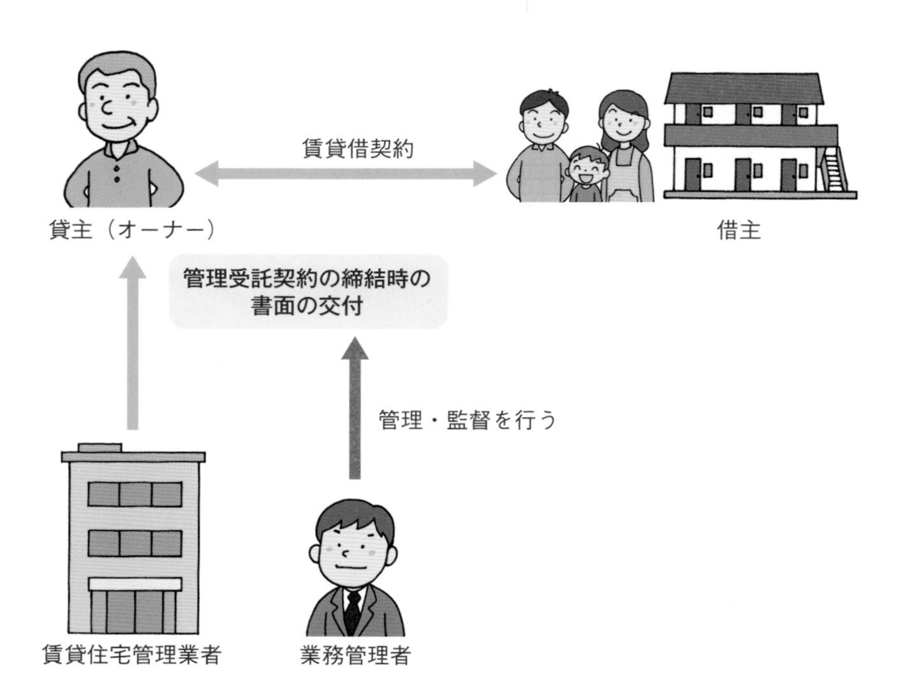

3 その他の義務

賃貸住宅管理業者が
守らなければならない義務だよ

賃貸住宅管理業者は、以下の義務を負います。

標識の掲示	賃貸住宅管理業者は、**営業所等ごと**に、公衆の見やすい場所に、国土交通省令で定める様式の**標識**を掲げなければならない
従業者証明書の携帯等	• 賃貸住宅管理業者は、業務に従事する使用人その他の従業者に、その従業者であることを証する証明書（**従業者証明書**）を**携帯**させなければ、その者をその業務に従事させてはならない • 賃貸住宅管理業者の使用人その他の従業者は、その業務を行うに際し、委託者その他の関係者から**請求があったとき**は、従業者証明書を**提示**しなければならない

帳簿の備付け等	賃貸住宅管理業者は、営業所等ごとに、その業務に関する**帳簿**を備え付け、委託者ごとに管理受託契約について一定の事項を記載しなければならない ⚠帳簿は、各事業年度の末日をもって閉鎖し、閉鎖後**5年間保存**しなければならない
財産の分別管理	賃貸住宅管理業者は、管理受託契約に基づく管理業務において受領する**家賃**等を、整然と管理する方法により、**自己の固有財産**および**他の管理受託契約**に基づく管理業務において受領する**家賃**等と**分別して管理**しなければならない
委託者への定期報告	賃貸住宅管理業者は、一定の事項につき、**定期的**に、**委託者に報告**しなければならない
業務処理の原則	賃貸住宅管理業者は、信義を旨とし、誠実にその業務を行わなければならない
名義貸しの禁止	賃貸住宅管理業者は、自己の名義をもって、他人に賃貸住宅管理業を営ませてはならない
管理業務の全部再委託の禁止	賃貸住宅管理業者は、委託者から委託を受けた管理業務の**全部**を他の者に対し、**再委託してはならない** ⚠一部の再委託は行うことができる
秘密を守る義務	• 賃貸住宅管理業者は、**正当な理由**がある場合でなければ、その業務上取り扱ったことについて知り得た秘密を他に漏らしてはならない • 賃貸住宅管理業者の従業者等は、正当な理由がある場合でなければ、賃貸住宅管理業の業務を補助したことについて知り得た秘密を他に漏らしてはならない

Section 4 特定転貸事業者・勧誘者

重要度 S

このSectionで学ぶこと

物件のオーナーが、賃貸物件を運用する場合に、転貸人である事業者（サブリース業者）とマスターリース契約を締結することがあります。このサブリース業者を**特定転貸事業者**といいます。また、金融機関や建設会社で、マスターリース契約を勧誘する者を**勧誘者**といいます。

1 特定転貸事業者等

特定転貸事業者とは
サブリース業者のことだよ

1　特定転貸事業者

特定転貸事業者とは、特定賃貸借契約に基づき賃借した賃貸住宅を第三者に転貸する事業を営む者（サブリース業者）をいいます。

2　特定賃貸借契約

特定賃貸借契約とは、賃貸住宅の賃貸借契約で、転貸人（借主）が当該賃貸住宅を第三者に**転貸する事業（サブリース事業）を営むこと**を目的として締結されるもの（**マスターリース契約**）をいいます。

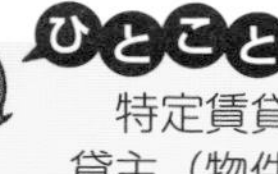

ひとこと

特定賃貸借契約では、転貸人（借主）である特定転貸事業者から貸主（物件オーナー）への説明が不十分なため、トラブルになるケースがあるので、特定転貸事業者には、重要事項説明等の一定の義務が課されています。

2 勧誘者

金融機関や建設会社が該当するよ

勧誘者とは、特定転貸事業者と繋がりがあって、特定賃貸借契約の締結についての勧誘を行う者をいいます。

ひとこと

建設会社、不動産業者、金融機関等や特定転貸事業者の親会社・子会社、ファイナンシャルプランナー、コンサルタント等が、特定転貸事業者から勧誘の委託を受けて、特定賃貸借契約を前提とした資産運用の企画提案を行ったり、特定賃貸借契約を締結することを勧めたりする場合、これらの者は勧誘者に該当します。

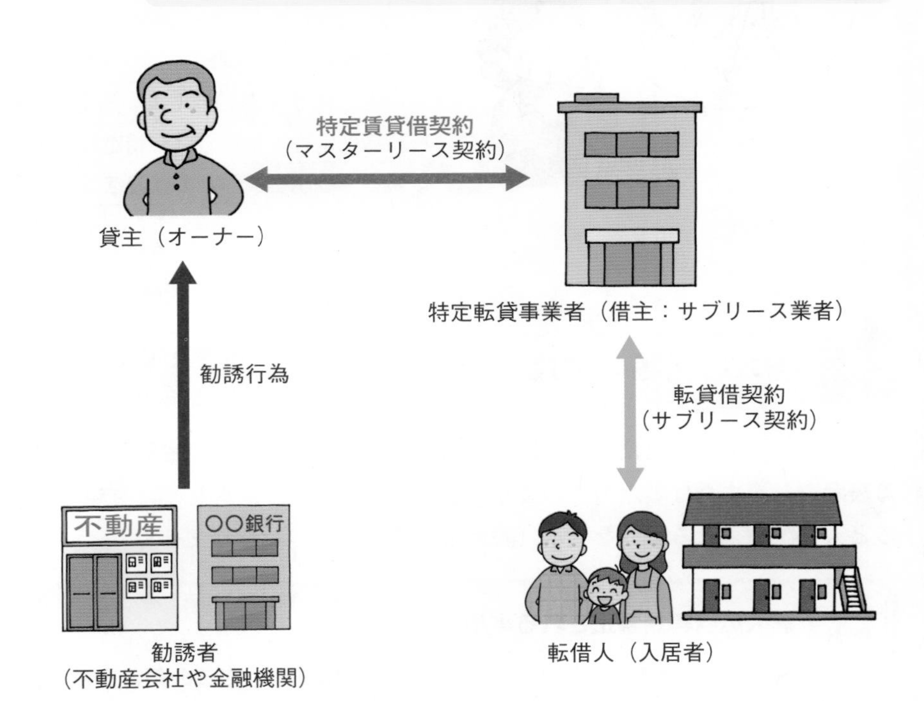

Section 5

特定転貸事業者・勧誘者の義務

このSectionで学ぶこと

マスターリース契約では、〝○年間家賃保証〟と謳っておきながら、それが守られないトラブルが社会問題になりました。また、金融機関や建設会社がサブリース業者と一緒にマスターリース契約を勧めるということも問題になりました。そこで、賃貸住宅管理業法では、特定転貸事業者や勧誘者に一定の義務を課しています。

1　誇大広告等の禁止

紛らわしい広告は禁止だよ

特定転貸事業者または勧誘者は、次の事項について、**著しく事実に相違する表示**をし、または実際のものよりも**著しく優良**であり、もしくは**有利**であると人を誤認させるような表示（**誇大広告等**）をしてはなりません。

板書　誇大広告等が禁止される事項

①特定賃貸借契約の相手方（物件のオーナー）に支払う**家賃の額**、**支払期日**および**支払方法**等の賃貸の条件ならびにその変更に関する事項
②賃貸住宅の**維持保全**の実施方法
③賃貸住宅の維持保全に要する**費用の分担**に関する事項
④特定賃貸借契約の**解除**に関する事項

具体的には、以下のような誇大広告等が禁止されます。

板書 誇大広告等の禁止の具体事例

①定期的な家賃の見直し・サブリース業者からの**減額請求が可能**なのに、その旨を表示せず、「○年間家賃保証！」といった表示をすること

②実際には毎月オーナーから一定の費用を徴収して**原状回復費用にあてている**にもかかわらず、「原状回復費負担なし」といった表示をすること

③オーナーからは**正当事由**がなければ解約できないにもかかわらず、「いつでも自由に解約できます」と表示をすること

2 不当な勧誘等の禁止

しつこく勧誘するのは禁止だよ

特定転貸事業者または勧誘者は、次の行為をしてはなりません。

板書 不当な勧誘行為

①特定賃貸借契約の勧誘の際に相手方に対し、当該特定賃貸借契約に関する重要事項につき、**故意に事実を告げず**、または**不実のこと**（本当でないこと）**を告げる**行為

②特定賃貸借契約の締結等のため、特定賃貸借契約の相手方等を**威迫する行為**

③特定賃貸借契約の締結等について相手方等が迷惑に感じる時間（一般的には午後9時から午前8時）に電話または訪問により勧誘する行為

④特定賃貸借契約の締結等について深夜または長時間の勧誘その他の私生活または業務の平穏を害するような方法により相手方等を困惑させる行為

⑤特定賃貸借契約の締結等をしない旨の意思を表示した相手方等に対して執ように勧誘する行為

3 書類の閲覧

経営状態がわかるようにしておく義務だよ

特定転貸事業者は、当該特定転貸事業者の**業務および財産の状況を記載した書類**（電磁的方法も可）を、特定賃貸借契約に関する業務を行う営業所または事務所に備え置き、特定賃貸借契約の相手方または相手方となろうとする者の求めに応じ、閲覧させなければなりません。

4 特定賃貸借契約の重要事項説明

契約を十分に理解してもらう手続だよ

特定転貸事業者は、**特定賃貸借契約を締結する**前に、特定賃貸借契約の相手方となろうとする者（貸主、物件のオーナー）に対し、**特定賃貸借契約の内容およびその履行に関する事項**について、**重要事項説明書**を交付して説明しなければなりません。

板書 特定賃貸借契約に係る重要事項説明

①説明をする時期	契約の**締結**前に説明する ⚠説明から契約締結までに1週間程度の期間をおくことが望ましい（任意）
②説明をする者	業務管理者でなくても**説明**できる 一定の実務経験を有する者や賃貸不動産経営管理士によって行われることが望ましい（任意）
③説明の相手方	特定賃貸借契約の相手方（貸主）となろうとする者
④交付の方法	原則：書面を交付する 例外：貸主の承諾があれば、電磁的方法で提供可能

特定賃貸借契約の重要事項の説明の対象となる事項には以下のものがあります。

板書　重要事項説明の対象となる事項（抜粋）

①特定賃貸借契約を締結する特定転貸事業者の商号、名称または氏名および住所
②転借人の資格その他の転貸の条件に関する事項
③特定賃貸借契約が終了した場合における特定転貸事業者の権利義務の承継に関する事項
④借地借家法その他特定賃貸借契約に係る法令に関する事項の概要

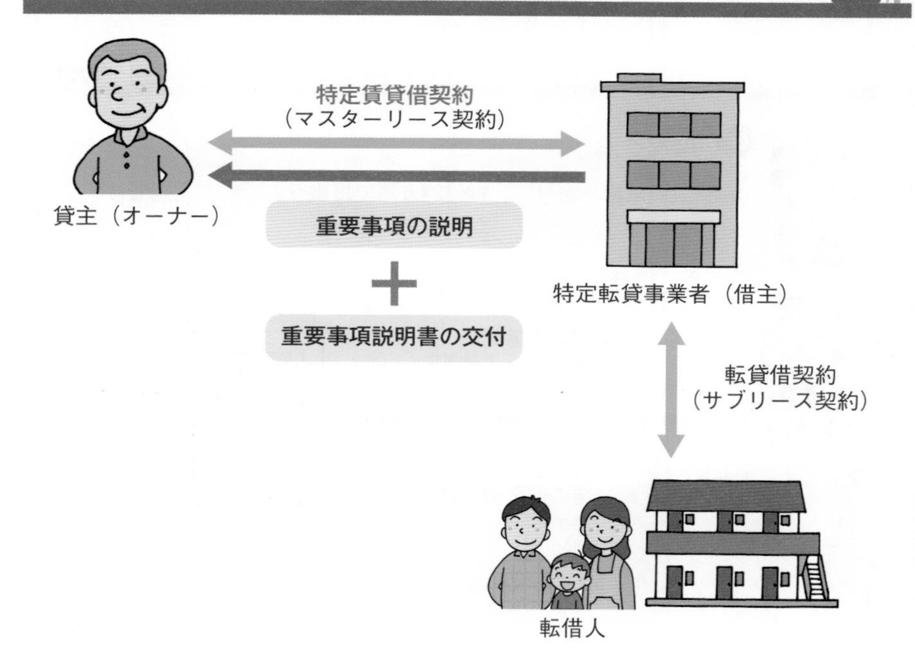

5　特定賃貸借契約の締結時の書面の交付義務

一般的には、マスターリース契約書が該当するよ

特定転貸事業者は、**特定賃貸借契約を締結したとき**は、特定賃貸借契約の相手方（貸主、物件のオーナー）に対し、遅滞なく、一定の事項を記載した

書面（特定賃貸借契約の締結時の書面）を交付しなければなりません。特定賃貸借契約の締結時の書面は、一定事項が記載されていれば、特定賃貸借（マスターリース）契約書と兼ねることができます。

特定賃貸借契約締結時の書面の記載事項には以下のものがあります。

板書 特定賃貸借契約締結時の書面の記載事項（抜粋）

①特定賃貸借契約の相手方に支払う家賃その他賃貸の条件に関する事項
②転借人の資格その他の転貸の条件に関する事項
③特定転貸事業者が行う賃貸住宅の維持保全に要する費用の分担に関する事項
④特定賃貸借契約が終了した場合における特定転貸事業者の権利義務の承継に関する事項

ひとこと

貸主の承諾があれば、**電磁的方法で提供**することも可能です。

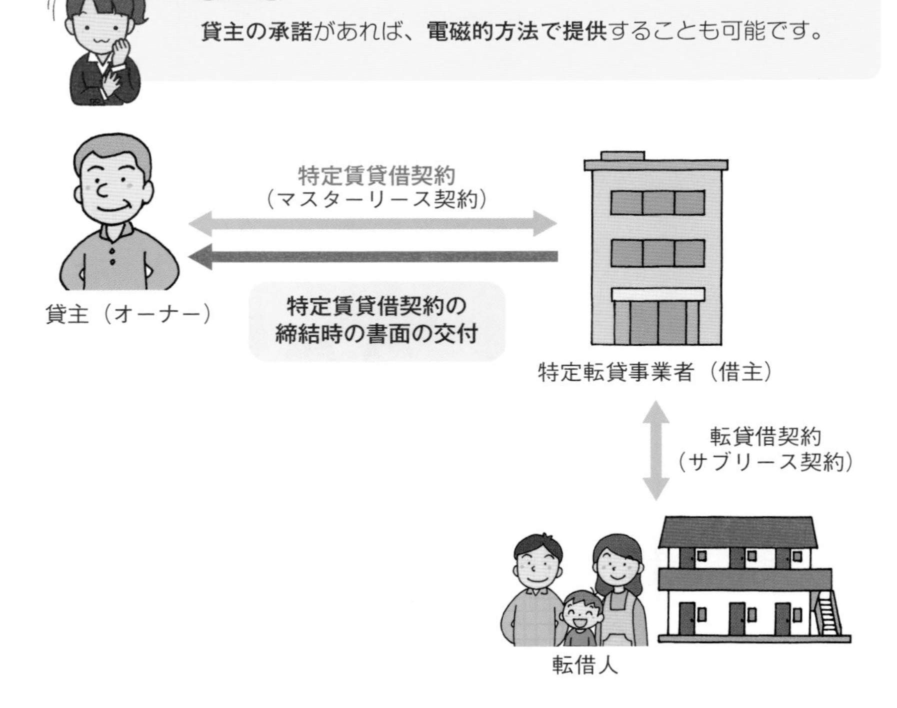

Section 6

賃貸住宅管理業者の社会的役割

このSectionで学ぶこと

賃貸物件には貸主・借主や投資家等のさまざまな人が利害関係を有します。これらの人々の**利害関係を調整**することが賃貸住宅管理業者には求められています。また、賃貸物件を適切に管理することで、**循環型社会**に移行できるようにするという大切な社会的責務も負っています。

1　賃貸住宅管理業者の社会的責務

単に物件を維持管理するだけじゃないよ

1　資産運用のプロとしての役割

貸主の資産の適切な運用という観点から、貸主の有するあらゆる**資産**（金融資産、不動産等）の組合せ（ポートフォリオ）の中で、いかに**収益**を上げるかという視点で賃貸管理のあり方を構成していこうとする姿勢が求められています。

ひとこと

貸主の自主管理や一部委託管理では資産運用のニーズに対応できないので、**賃貸住宅管理業者**が賃貸住宅経営のプロとして要請されています。

2　循環型社会への移行

人口減少・成熟型社会を迎え、良質のものを長く使うストック重視の循環型社会へ移行することが喫緊の課題となり、単に住宅・ビル等の供給量を確保するだけでなく、適切な管理を通じて不動産の価値を**維持・保全**する責務があります。

ひとこと

建物を良質な状態で長く使用するためには、街並み景観等の環境も重要な要素となるので、賃貸住宅管理業者は、まちづくりにも貢献していく社会的責務も負います。

2 賃貸住宅管理業者に求められる役割

管理のプロとして多方面で活躍が期待されてるよ

1 借主保持と快適な環境整備

入居率を維持し、賃料収入を確保するためには、できるだけ優良な借主に長く住んでもらうことが大切です。そこで、借主保持のため、物件の維持保全、設備の陳腐化の回避等ハード面からの**商品価値の維持保全**に努めるとともに、トラブルが発生したときに早期解決が図れるような体制を含め、**適時適切な対応ができるプロ**としての**賃貸住宅管理業者**の要請が高まっています。

2 善管注意義務の遂行・公共の福祉・社会貢献

賃貸住宅管理業者には、単に投資家・貸主の代理人として、その意向に追随するだけの存在ではなく、貸主・借主・投資家その他の利害関係人の間に入り、**中立公平に利害調整を行い**、不動産の適切な活用を促進する存在であることが求められます。

3 新たな経営管理手法の研究と提案等

不動産の適切なコスト管理・借主確保等による高いパフォーマンスを達成するために、**賃貸住宅管理業者**は、新たな経営管理手法を**研究**し、使いこなす**高度な賃貸管理**が求められます。

4　入居者の快適な生活空間の作出・非常時のサポート

賃貸住宅管理業者は、適切な管理サービスを提供し入居者の**快適な生活空間の作出**に責任を持つ立場にあります。また、貸主の資産状況の悪化・それまで管理していた別の管理業者の経営問題等の管理業務の継続が困難となる**非常時**に借主をサポートする責任を負います。

5　透明性の高い説明と報告

アセットマネージャー（資産の運用等をする人）が投資家等に対する説明・開示責任は、**賃貸住宅管理業者**の情報が基礎となることから、アセットマネージャーに対する透明性の高い報告が**賃貸住宅管理業者**に求められます。

ひとこと

賃貸住宅管理業者は、アセットマネージャーを通じて、貸主や投資家に対し透明性の高い説明と報告をする役割を担うといえます。

6　能動的・体系的管理の継続

管理業務は、物件の維持管理から契約管理等の体系的管理が継続されてはじめて効果が最大限に発揮されるので、**賃貸住宅管理業者**には、**能動的・体系的管理の継続**が求められます。

Section 7

賃貸不動産経営管理士

重要度 A

このSectionで学ぶこと

賃貸不動産経営管理士は、**業務管理者**になることで賃貸住宅管理業法上の役割を果たすことになりますが、それ以外にも賃貸物件の管理のプロとして、**賃貸不動産の経営**や適正な**賃貸不動産の管理**や契約締結等を担うことが求められています。

1 賃貸不動産経営管理士の業務

業務管理者の業務以外にもプロとしての役割が求められるよ

1　業務管理者としての役割

賃貸不動産経営管理士は、**業務管理者**となる資格を有します。業務管理者は管理受託契約の**重要事項説明**や**管理受託契約の締結時の書面の交付**等の業務を管理し、**従業者を監督**します。

2　賃貸借関係等において求められる役割

賃貸住宅管理業法において、管理業務とは**賃貸住宅の維持保全を行う業務**と、これと併せて行う**家賃等の金銭の管理を行う業務**としていますが、賃貸住宅管理業者の業務はこれだけではありません。**賃貸不動産経営管理士**は、賃貸不動産の経営・管理の専門家として、賃貸住宅管理業者の業務について、**管理・監督**や**自ら実施**する役割を担うことが求められています。

3　住宅セーフティネットにおける役割

賃貸不動産経営管理士には、住宅確保要配慮者に対する賃貸住宅の供給の促進に関する法律（**住宅セーフティネット法**）の趣旨や理念を踏まえ、低所得者や単身高齢者等の住宅確保要配慮者の不安を払拭して**適正な賃貸借**がなされるようにする役割を果たすことが期待されています。

4　民泊における役割

住宅宿泊事業（**民泊**）および住宅宿泊管理業を適法かつ適切に行うため、**賃貸不動産経営管理士**には、住宅宿泊事業等においても賃貸借契約や賃貸不動産管理の専門家としての役割を担うことが期待されています。

5　空き家対策における役割

社会的に大きな関心事項となっている空き家問題への対策として、**賃貸不動産経営管理士**は、賃貸不動産経営や賃貸不動産管理に精通した専門家として、空き家所有者が安心して賃貸不動産経営に参画できる環境の整備等に積極的に関与し、**空き家の賃貸化の促進**等を通し、空き家問題の解決に一定の役割を果たすことが期待されています。

2　「倫理憲章」

賃貸不動産経営管理士が
守るべきルールだよ

1　「倫理憲章」とは

賃貸不動産経営管理士は、賃貸不動産の所有者・居住者、投資家等のステークホルダー、および賃貸管理業界との間に確かな信頼関係を構築し、その社会的使命を全うしなければなりません。

そのような重要な役割を持つ賃貸不動産経営管理士の社会的地位の向上・社会的信用の確立と品位保持・資質の向上を図るために、（一社）賃貸不動産経営管理士協議会によって「**賃貸不動産経営管理士 倫理憲章**」が制定されています。

2 「倫理憲章」の内容

賃貸不動産経営管理士は、次のように、各々が高い自己規律に基づき、誠実公正な職務を遂行するとともに、依頼者の信頼に応えられる高度な業務倫理を確立しなければなりません。

遵守事項	内容
❶公共使命の自覚	賃貸不動産経営管理士の持つ「公共的使命」を常に自覚し、公正な業務を通して、**公共の福祉**に貢献すること
❷法令の遵守と信用の保持	関係する法令とルールを遵守し、賃貸不動産管理業に対する**社会的信用を傷つけるような行為**、および社会通念上好ましくないと思われる行為を厳に慎むこと
❸信義誠実の義務	信義に従い誠実に職務を執行することを旨とし、依頼者等に対し、重要な事項について**故意に告げず**、または**不実のことを告げる**行為を決して行わないこと ⚠直接の依頼者だけでなく、他の関係者に対してもこの義務を負う
❹公正と中立性の保持	常に**公正**で**中立**な立場で職務を行い、万一紛争等が生じた場合は誠意をもって、その円満解決に努力すること
❺専門的サービスの提供および自己研鑽の努力	あらゆる機会を活用し、賃貸不動産管理業務に関する広範で高度な知識の習得に努め、不断の研鑽により常に能力・資質の向上を図り、管理業務の専門家として高い専門性を発揮するよう努力すること
❻能力を超える業務の引受けの禁止	自らの**能力や知識を超える業務**の引受けを行わないこと
❼秘密を守る義務	職務上知り得た秘密を正当な理由なく他に漏らしてはならないこと

ひとこと

「❼秘密を守る義務」は、その**職務に携わらなくなった後**も遵守しなければなりません。

CHAPTER1　過去問チェック！

問1　Sec.1 1

賃貸住宅とは、賃貸借契約を締結し賃借することを目的とした、人の居住の用に供する家屋又は家屋の部分をいう。（R 3）

問2　Sec.1 1

賃貸人から委託を受けて、金銭の管理のみを行う業務については、賃貸住宅の維持及び修繕（維持・修繕業者への発注を含む。）を行わない場合には、「賃貸住宅管理業」には該当しない。（R 4）

問3　Sec.3 1

管理受託契約重要事項説明は、業務管理者ではない管理業務の実務経験者が、業務管理者による管理、監督の下で説明することができる。（R 5）

問4　Sec.3 3

賃貸住宅管理業者は、管理受託契約に基づく管理業務において受領する家賃、敷金、共益費その他の金銭を、自己の固有財産及び他の管理受託契約に基づく管理業務において受領する家賃、敷金、共益費その他の金銭と分別して管理しなければならない。

（R 3）

問5　Sec.4 2

特定転貸事業者である親会社との間で特定賃貸借契約を結ぶよう勧める場合の子会社は、勧誘者にあたらない。（R 3）

問6　Sec.5 1

借地借家法上の賃料減額請求が可能であるにもかかわらず、その旨を表示せず、「10年家賃保証」と表示することは禁止されている。（R 3）

問7　Sec.5 3

特定賃貸借契約の勧誘者は、管理業法上の業務状況調書や貸借対照表、損益計算書又はこれらに代わる書面（業務状況調書等）の書類を作成・保存し、その勧誘によって

特定賃貸借契約を結んだ賃貸人からの求めがあれば、これらを閲覧させなければならない。 (R 4)

問8 Sec.5 5

特定賃貸借契約締結時書面に記載すべき事項を電磁的方法により提供する場合、あらかじめ相手方の承諾を得なければならない。 (R 3)

問9 Sec.6 2

借主保持と快適な環境整備、透明性の高い説明と報告、新たな経営管理手法の研究と提案、能動的・体系的管理の継続、非常事態における借主のサポートは、いずれも賃貸住宅管理業者に求められる役割である。 (R 3)

問10 Sec.7 1

賃貸不動産経営管理士は、空き家所有者に対し賃貸借に係る情報、入居者の募集、賃貸住宅の管理の引受けについて助言や提言をすることにより、空き家所有者が安心して賃貸不動産経営に参画できる環境を整備し、空き家問題の解決のために役割を果たすことが期待される。 (R 3)

解答

問1 ○

問2 ○

問3 ○

問4 ○

問5 × 特定転貸事業者の子会社が、その親会社の特定賃貸借契約を勧誘する場合は、当該子会社は勧誘者に該当する。

問6 ○

問7 × 特定賃貸借契約の勧誘者には、業務状況調書等の作成等の義務はない。

問8 ○

問9 ○

問10 ○

CHAPTER 2
賃貸不動産管理の実務

Sec. 1 借主の募集・広告等

Sec. 2 入居審査等

Sec. 3 賃貸管理の実務

Sec. 4 滞納賃料の回収等

Sec. 5 原状回復ガイドライン

Section 1　借主の募集・広告等

このSectionで学ぶこと

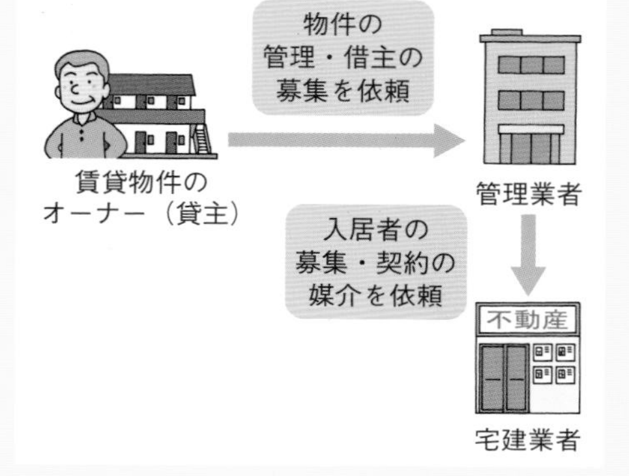

借主を募集する場合、一般的には不動産会社に仲介を依頼します。借主を募集するための広告や賃貸借契約の締結の仲介等には、**宅地建物取引業法**（宅建業法）という法律の規制があります。

1　賃貸管理と宅建業法

賃貸借契約の代理・媒介には
宅建業の免許が必要だよ

物件のオーナー（貸主）が、自己の賃貸不動産の借主を自分自身で探し出して、契約締結までにこぎ着けるのは、とても難しいといえます。そのため、一般的には不動産会社にその**代理**や**媒介**（仲介）を依頼することになります。その際、不動産会社が賃貸借契約の代理や媒介を行うには、**宅建業の免許**が必要となります。

これに対し、物件のオーナーが**自分で賃貸借契約をする場合**や借主の**居住が始まった後の管理業務**には**宅建業の免許は不要**です。

■「宅建業の免許」の要否

宅建業の免許	必要	・不動産の賃貸借契約の**媒介** ・不動産の賃貸借契約の**代理**
	不要	・不動産の賃貸借契約をオーナーが**自分で行う**場合 ・居住が始まった**後**の管理業務

2 借主（入居者）の募集広告

募集広告には宅建業法の規制がかかるよ

管理業者や宅建業者が借主を募集する広告を行う際は、宅建業法による次のような規制を受けます。

板書 広告に関する禁止事項

種類	禁止事項
①誇大広告の禁止	•宅地・建物の所在・規模・形質等について著しく事実に相違する表示をすること •実際のものよりも著しく優良・有利であると人を誤認させるような表示をすること
②不実の告知・重要な事実の不告知の禁止	重要な事項について、**故意**に事実を告げない、または不実（本当でないこと）を告げること
③断定的判断の提供の禁止	将来の環境または交通その他の利便について、借受希望者が誤解するような**断定的判断**を提供すること
④威迫（いはく）行為等の禁止	契約の申込みのため、または借受希望者が一度した申込みの撤回・解除を妨げるために借受希望者を**威迫**（脅迫等）すること
⑤広告開始時期の制限	賃貸物件にかかる建築確認や開発許可等の行政上の許可が下りる**前**に広告をすること

3 取引態様の明示義務

広告のときと注文を受けたときの両方に必要だよ

宅建業者は、**広告**をするときや**注文**を受けたときは、取引態様（自ら売主となるか、媒介かの別等）を明示しなければなりません。

4 不動産の公正競争規約

広告には不動産業界の自主ルールがあるよ

「不動産の公正競争規約」は、不動産の広告に関して**不動産業界が作成したルール**で、公正取引委員会が認定したものをいいます。管理業者や宅建業者が募集広告をする場合、この不動産の公正競争規約に従わなければなりません。

板書 公正競争規約の内容の例

- **新築**とは建築工事完了後**1年未満**であって、居住の用に供されたことがないものである
- 徒歩による所要時間は、道路距離**80 m**につき**1分間**を要するものとして算出した数値（1分未満の端数は**1分**として計算する）を表示する
- 自転車による所要時間は、道路距離を明示して、走行に通常要する時間を表示する
- 住宅の居室等の広さを畳数で表示する場合において、畳1枚当たりの広さは「**1.62㎡**以上の広さがある」という意味で用いる

5 重要事項説明

借主に賃貸物件を借りるかどうかの判断材料を提供するよ

宅地建物取引業者は、賃貸借契約の仲介（媒介）をする場合、**借主**に対し、契約が成立するまでの間に、宅地建物取引士をして、取引に係る重要事項について、**宅地建物取引士**が**記名**した**重要事項説明書**（一定の要件を満たせば電磁的方法も可）を交付して説明させなければなりません。

板書 建物賃貸借の重要事項説明事項（抜粋）

- 水害ハザードマップに物件の位置が表示されているときは、水害ハザードマップにおける物件の所在地
- 契約終了時の金銭の精算に関する事項
- 賃貸物件の管理委託を受けた者の氏名・住所

6 宅地建物取引業者による人の死の告知に関するガイドライン

自殺等があった場合、
宅建業者に告知義務があるよ

過去に人の死が生じた物件の取引を行う際、どのような事案が発生した際に告知をしなくてはいけないのか、また事案に係る調査をどの程度までしなくてはならないのかなどについて、これまで判断基準がなかったことから、契約当事者にとって安心できる取引が阻害されていました。そこで、2021年10月、国土交通省は「宅地建物取引業者による人の死の告知に関するガイドライン（以下ガイドライン）」を策定しました。

板書 ガイドラインの概要

- 宅地建物取引業者が媒介を行う場合、売主・貸主に対し、過去に生じた人の死について、告知書等に記載を求めることで、通常の情報収集としての調査義務を果たしたものとする

- 賃貸物件で発生した自然死・日常生活の中での不慮の死（転倒事故、誤嚥など）
- 賃貸物件やその共用部分で発生した自殺等（自然死・日常生活の中での不慮の死以外の死）が発生し、事案発生から概ね３年が経過した後

} 告知は不要

- 賃貸物件等で発生した自殺等から概ね３年が経過していない場合
- 人の死の発生から経過した期間や死因に関わらず、買主・借主から事案の有無について問われた場合
- 社会的影響の大きさから買主・借主において把握しておくべき特段の事情があると認識した場合

} 告知は必要

7 契約締結時書面の交付

一般的には賃貸借契約書が該当するよ

賃貸借契約の媒介をした宅地建物取引業者は、賃貸借契約が成立したときは、貸主・借主に対し、代金又は借賃の額、その支払方法など契約書の内容のうち一定事項を記載した書面（契約締結時書面）を遅滞なく交付しなければなりません。この契約締結時書面（一定の要件を満たせば電磁的方法も可）には、宅地建物取引士が記名しなければなりません。

8 仲介手数料（媒介報酬）

原則は賃料の１ヵ月分が報酬の限度だよ

賃貸借契約の媒介をした宅地建物取引業者は、仲介手数料（媒介報酬）＋消費税を依頼者から受領することができます。ただし、報酬の限度額が定め

られています。

板書 報酬限度額

賃貸物件の種類	報酬の限度額
居住用建物	原則 貸主・借主からそれぞれ賃料の **0.5 ヵ月**分まで 例外 貸主・借主から**承諾**がある場合は、併せて **1 ヵ月**分まで ⚠借主が賃料 1 ヵ月分の報酬をすべて支払うとすることも可能
居住用建物以外（店舗や土地等）	原則として、貸主・借主併せて賃料の **1 ヵ月**分まで

Section 2

入居審査等

このSectionで学ぶこと

物件のオーナー（貸主）は、通常、騒いで他の居住者等に迷惑をかけたり、建物や設備を壊したりしそうな人、また、家賃を滞納しそうな人に物件を貸したいとは思いません。

そこで、貸主のリスクや不安を取り除くために**入居審査**が行われます。

1　入居審査

職業や年収に見合った物件か審査するよ

管理業者等は、申込者が、物件に見合った職業・年齢・家族構成・年収であるか等、入居に関する妥当性について、**入居審査**（チェック）を行います。

板書　入居審査

①氏名・現住所・勤務先等の確認（法人の場合は登記事項証明書等の確認）
②反社会的勢力でないかどうかの確認
③物件が借主にとって妥当なものであるか否か（年収と比べて賃料が高すぎる等）の確認

2　入居の決定

貸主が入居を
決定するよ

入居者や契約条件の決定にあたり、その最終決定は、原則として**貸主**が行います。ただし、管理受託方式とサブリース方式とで、貸主（最終決定権者）が異なります。

板書　入居者の最終決定権者（決定権者の最終判断）

①管理受託方式の場合	貸主（所有者）である**オーナー**
②サブリース方式の場合	貸主（転貸人）である**特定転貸事業者**

3　鍵の管理

鍵を悪用されないように
適切な管理が求められるよ

1　鍵の引渡し

貸主は、原則、契約に係る金銭の授受の完了と同時に、借主に対して鍵の引渡しを行います。そのため、管理業者が貸主を代理して借主に鍵を引き渡す場合は、借主から「**鍵受領証**」を受け取り、物件の鍵を確かに引き渡したことを貸主に報告する必要があります。

ひとこと

「鍵受領証」は、退去にあたって鍵の返却を受ける際に、その本数等を確認するための根拠となります。

2　マスターキーの取扱い

建物のオーナーや管理業者が所有している鍵を「マスターキー」といい、一般的にはマスターキー１本で、建物のほとんどすべての部屋の鍵を解錠することができます。マスターキーにより管理業者等が室内に立ち入る際は、「**鍵の取扱い規則**」等に基づいて使用することが原則です。

板書 **マスターキーを使用する場合**

非常事態の発生時	緊急事故が発生した場合 ⚠室内には**複数人**で立ち入り、立ち入った事実の報告を以下の者に行う ①遅滞なく借主に対して行う ②借主に連絡が取れない場合は、連帯保証人と貸主に対して行う
貸主による指示	工事点検や点検業務等に際して貸主から指示があった場合
借主による要請	借主から**緊急事態**の発生等を告げられた場合

3 鍵の交換

① 鍵の交換の必要性

物件において鍵の交換を怠ったことで、合鍵を作っていた前の借主による盗難や傷害等の犯罪が発生した場合、貸主や管理業者が「**借主が安全に居住できるように管理する責任**」の懈怠（けたい）による**損害賠償責任**を問われることも想定されます。したがって、新たな借主が入居する場合は鍵を交換することが望まれます。

❷ 鍵の交換費用

鍵の交換が必要となった場合の費用負担は、次のようになります。

板書 鍵の交換費用

原則 ①借主入居の際の交換 ②貸主の申出によるピッキング対応キーへの交換	貸主負担
例外 ①借主による鍵の紛失時 ②借主の申出によるピッキング対応キーへの交換	借主負担

❸ 鍵交換の時期

鍵交換のタイミングは、前の借主の退出後に、退去後リフォームが終了し、入居希望者に対する案内も終えて、**入居する借主が決定した後**とすることが望まれます。

Section 3 賃貸管理の実務

このSectionで学ぶこと

賃貸物件の管理は、**清掃業務**や**日常点検**のほか、居住者からの**クレーム処理**等多岐にわたります。また、火災や地震等の**緊急時の対応**も重要な業務となります。これらに対応できるだけの知識が管理業者には必要とされます。

1 借主の居住ルール・クレーム処理

適切な処理が求められるよ

賃貸マンションでは、多数の入居者が共同生活を営むことになります。入居者に**共同生活上のルールを遵守**してもらい、また、**入居者からのクレーム**に対応することも管理業者の重要な業務です。

板書 クレームの原因と具体例

クレームの原因	具体例
生活騒音	楽器の演奏、深夜帯のステレオやテレビ音声、隣室の話し声、近隣の工事音等
共用部分の使用	廊下・階段・玄関ホール・自転車置き場・ゴミ置き場等の使用方法の遵守や濫用の禁止事項等
ペット飼育	鳴き声、糞尿処理、悪臭等（ペット３大トラブル）

経験の浅い担当者でも一定の適切な対応ができるように、また、同じ間違いを繰り返さないためにも、過去の事例を蓄積した情報・他社の事例・参考文献等をベースに自社独自の「対応マニュアル」を作成し、社内研修等により社員全員で問題意識・対応方法を共有することが有効です。

2　緊急時の対応

水漏れや震災時に適切に対応する必要があるよ

災害や事故・盗難等があった場合、管理業者は次のように対応します。

板書 **緊急時の対応** 

災害・事故等の種類		対応
上階からの漏水の発生時		①借主に「上階に対する水漏れの事実を告知する」よう要請する ②できるだけ早く現場へ駆け付ける（合鍵等も持参） ③修理会社へ連絡する ④上階の入居者へ連絡し、緊急立ち入りの許可を求める等を行う ⑤漏水被害にあった部屋・上階の室内を確認する ⑥現場で漏水を止める。また、現場写真を撮る ⑦上階・下階の居住者に保険会社への報告を要請する ⑧家主に報告する ⑨修繕手配等を行う ⑩費用負担の調整を行う
火災発生時	管理員がいる	①自動火災報知機の発報・借主からの通報で火災の発生を感知したら、管理員は現場に駆け付け避難誘導等をすると同時に、建物全体へ火災の発生を知らせて、消防署へも連絡する ②初期消火が可能であれば、消火器や消火栓で延焼防止に努める ③初期消火が不可能であれば、安全に避難する
	管理員不在	①通報を受けた者は消防署に通報した後、できるだけ早く現場に駆け付ける

地震発生時	管理員がいる	①揺れが収まった後、管理員が建物内外の点検を行う ②危険が生じている場合、居住者を避難場所へ誘導する ③火災が発生している場合は、避難誘導、消防署への通報、建物全体への火災発生の報知、初期消火が可能であれば延焼防止を行う
	管理員不在	①震災後、できるだけ早く建物を訪れて被害状況を把握し、復旧や後片付けを行う
犯罪発生時	①借主から空き巣被害の連絡があったら、被害届提出の有無・盗難された財物・侵入経路等の被害状況を把握する ②保険による補償手続の支援 ③侵入経路の遮断や非常警報装置の設置等を貸主と相談して、早期に対策を講じる ④防犯を呼びかける掲示などをして、借主に注意を促す	

3 植栽の管理、除草

雑草の放置は近隣からのクレームの原因になるよ

植栽管理は、快適な住環境の整備のために必要な業務です。放置すれば、雑草が伸び、害虫が発生しますし、枯死や倒壊することで環境も悪化するからです。

板書 植栽管理の方法

対象	管理等の方法
除草	• 除草方法には、草抜きと除草剤の散布がある • 入居者等が日常的に使用する部分は、除草剤の使用を控える • 除草剤の散布の際には、入居者・近隣住民等へ事前通知を行い、洗濯物やペットの屋内への一時移動等、協力を求める
植栽・剪定(せんてい)	• 定期的にチェックし、灌水(かんすい)(水やり)や施肥を行う • 剪定は、専門業者に依頼する

4 駐車場・駐輪場・共用部分・ゴミ置き場の管理

ゴミ出し等でトラブルにならないように管理するよ

駐車場・駐輪場・共用部分・ゴミ置き場等の管理も、快適な住環境の整備のためには大切な業務です。

板書 駐車場等の管理

対象	管理等の方法
駐車場	• 無断駐車防止のため、駐車区画ごとの利用権者の表示やカラーコーン・埋め込み式ポールによる侵入防止を行う • 車上ねらい対策として、人感センサーライトや防犯カメラを設置する
駐輪場	使用希望台数が収容能力を超える場合、以下のように対応する • 駐輪場の増設 • 入居者等の協力を得て不要自転車・放置自転車の一斉整理を実施する • 使用料を設定し、登録制として使用車両数を制限する

共用部分	• 入居者に私物の撤去を求める ⚠入居者の所有物であるので、管理業者・貸主が直ちに撤去すべきではない • 清掃を着実に行い、管理がしっかり行われている印象を入居者・近隣住民・来訪者等に与える
ゴミ置き場等	入居者にその地域のゴミの出し方を周知徹底し、近隣住民とのトラブルを防止する

5 清掃業務

日常的なものと機械等を使うものがあるよ

清掃作業は、建物の美観を保ち、良好な住環境を整えるだけでなく、周辺住民との摩擦を避け、良好な関係を維持する重要な業務です。清掃業務には、次のような種類があります。

板書 清掃業務の種類

種類	内容
日常清掃業務	共用部分を対象として、管理員または清掃員が毎日あるいは「週2～3回」と定めて日常的に行う清掃
定期清掃業務	1ヵ月に1回または2ヵ月に1回等、周期を定めて主に機械を使って行う清掃であるため、清掃業者に外注するのが一般的
特別清掃業務等	• 排水管の高圧洗浄や空調や換気設備等の専門家による清掃 • 入居者退去後のハウスクリーニング等

ひとこと

共用部分の清掃に関し、年間の清掃計画と定期点検計画を借主に事前に知らせることは、賃貸住宅管理業者の重要な役割です。

6 防犯対策等

安心して暮らすためには
防犯対策が重要だよ

管理業者は、防犯についても対策を講じる必要があります。

板書 防犯対策

①「建物内に不審者を入れない。万一見かけたら、状況に応じて110番通報をする」との**心構え**を、入居者各々に持ってもらう
②各室扉の鍵を**ピッキング**に強いものに取り替え、さらに建物の出入り口を**オートロック**化する
③出入り口ホールや駐車場、ゴミ置き場等に防犯カメラを設置したうえで夜間センサーライトを点灯させる
④各種のセンサーにより侵入等の異常を感知した場合、通信回線を利用して警備会社へ自動的に通報し、警備員が駆け付けるようなシステムを導入する

Section 4

滞納賃料の回収等

このSectionで学ぶこと

賃料の滞納は貸主の生活に影響を及ぼすとともに、金融機関へのローン返済が困難になる等の問題が生じます。

滞納賃料はどのように回収すればいいのでしょうか。

1　滞納賃料の回収業務の遵法性

違法な回収は許されないよ！

滞納賃料を回収する場合、法律の規定に則って行われる必要があります。

1　自力救済の禁止

法的手続を経ない実力行使を「自力救済」といい、原則、禁止されています。以下のような行為がこの自力救済に該当します。

板書　自力救済に該当する行為

①貸主や管理業者が、借主の承諾を得ずに建物の鍵を交換したり、カバーをかけたりして、借主が建物に入ることを阻止すること

②貸主や管理業者が、借主の承諾を得ずに室内や共用廊下の残置物を勝手に処分（売却等）・廃棄する行為

2　弁護士法の遵守

弁護士法は、「弁護士でない者は、報酬を得る目的で訴訟事件等の法律事務を取り扱うことを業とすることができない」と定めています。そのため、管理業者が貸主の代わりに内容証明郵便の送付等を行うと、内容によっては、報酬を得て貸主の代理人として法律事務を行っているとみなされ、弁護士法に抵触するおそれがあります。

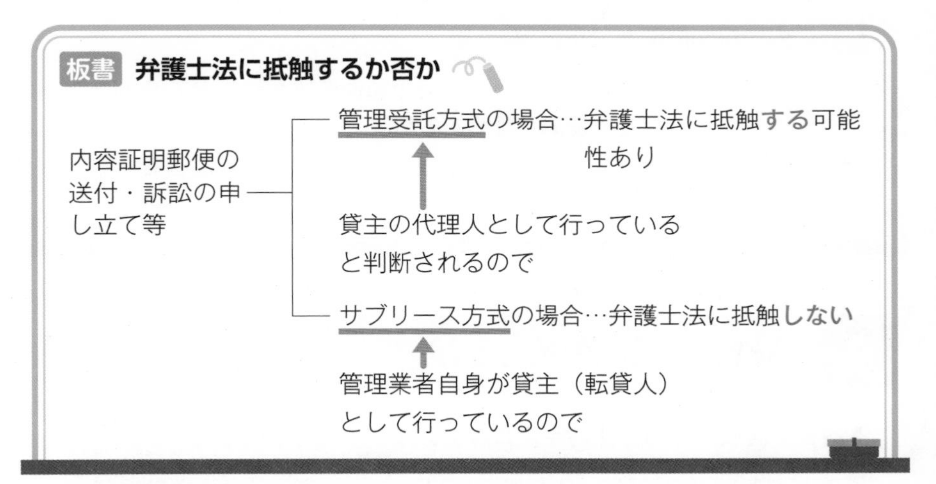

2　内容証明郵便

郵便局が配達した手紙の内容を証明してくれるよ

内容証明郵便とは、いつ、どのような内容の郵便を誰が誰に宛てて出したかを**郵便局**が証明する制度です。賃貸借契約の解除は、配達証明付きの**内容証明郵便**で行うことが一般的です。

ひとこと

内容証明郵便は、内容の真実性を証明するものではありません。

3 公正証書

公証人という専門家が
証明してくれる文書だよ

公正証書とは、公証人の作成する文書です。貸主と借主が滞納賃料の支払について和解する場合、公正証書にすることで、和解の内容に違反した場合には、強制執行をすることが可能となります。

板書 内容証明郵便と公正証書

- 内容証明郵便…いつ、どのような内容の郵便を誰が誰に宛てて出したかを郵便局が**証明する制度**
- 公正証書　…公証人の作成する文書。法律上も社会的にも信頼できる文書として取り扱われる

4 滞納賃料回収の法的手段

法的手段には訴訟以外も
存在するよ

滞納賃料回収のための法的手段には、以下のものがあります。

板書 滞納賃料回収の法的手段

法的手段	内容
①民事訴訟	紛争当事者の一方が、裁判所に対し、他方を「相手方」として法律上の請求または確認を求める訴状を提出し、その判断を求める手続 ※請求額が60万円以下の場合は、少額訴訟手続という簡易な方法もある
②民事調停	民事紛争を解決するために、裁判官と良識ある民間人で構成する「調停委員会」により、双方の言い分を聞き、その納得を得て具体的に妥当な解決を図る制度
③支払督促	債権者の申立てのみに基づき、簡易裁判所の書記官が支払を命じる手続

④即決和解（起訴前の和解）	民事上の紛争が、当事者同士の話し合いにより、訴訟外で和解（歩み寄り）が成立したとき、または成立が見込めるときに、当事者の一方が裁判所に「**和解の申立て**」をする手続
⑤和解（訴訟上の和解）	訴訟の提起後、判決に至るまでの間に、**裁判所の勧告**により当事者双方が譲歩しあって、紛争の解決を図る手続

Section 5 原状回復ガイドライン

重要度 S

● このSectionで学ぶこと ●

賃貸トラブルで最も多いのが、賃貸借契約終了時の**原状回復**と**敷金の精算**です。これを解決するために、国土交通省が定めた原状回復等の一般的な基準を「原状回復をめぐるトラブルとガイドライン」といいます。

1 「原状回復をめぐるトラブルとガイドライン」とは

負担割合等の基準だよ

「原状回復をめぐるトラブルとガイドライン」（以下「ガイドライン」）とは、国土交通省が、貸主・借主が原状回復時に負担すべき割合等（負担割合等）について作成した「一般的な基準」です。

ガイドラインでは、近年、トラブルが急増し、大きな社会問題となっています賃貸住宅の退去時における原状回復について、原状回復に係る契約関係や費用負担等のルールのあり方を明確にしています。

2 原状回復の原則

経年変化や通常損耗は貸主の負担だよ

1　損耗等の区分

ガイドラインでは、建物の損耗等を建物価値の減少と位置づけ、負担割合等のあり方を検討するにあたり、損耗等を次の３つに区分しています。

板書 損耗等の区分

①経年変化	建物・設備等の自然的な劣化・損耗等
②通常損耗	借主の通常の使用により生ずる損耗等
③その他	借主の故意・過失、善管注意義務違反、通常を超える使用による損耗等

2 原状回復義務の定義

ガイドラインは、原状回復の際に貸主・借主それぞれが負担すべき費用について、次のようなルールを設けています。

板書 原状回復費用の負担の区分

負担の区分	対象
貸主負担	①経年変化　②通常損耗　③グレードアップを含むもの（**次の入居者を確保する目的で行う設備の交換、化粧直しなどのリフォーム**等の建物の価値を増大させるような修繕等）
	【具体例】 畳の裏返し・表替え、ワックスがけ、家具のへこみ、冷蔵庫等の後部壁面の黒ずみ、壁のポスター等の跡、下地ボードの張替えが不要な画鋲穴等、エアコン設置の壁のビス穴、日照等によるクロスの変色
借主負担	①借主の故意・過失　②借主の善管注意義務違反　③通常損耗を超えるもの　④通常損耗の範囲内であったが、その後の手入れ等借主の管理が悪く、損耗等が発生・拡大したと考えられるもの
	【具体例】 借主の過失によるシミ・カビ、冷蔵庫下のサビ跡、畳やフローリングの色落ち等、台所の油汚れ、結露放置によるカビ・シミ、タバコ等のヤニ・臭い、下地ボードの張

	替えの必要なくぎ穴・ネジ穴等、エアコンの水漏れ放置による腐食

■ 賃貸住宅の価値（建物価値）

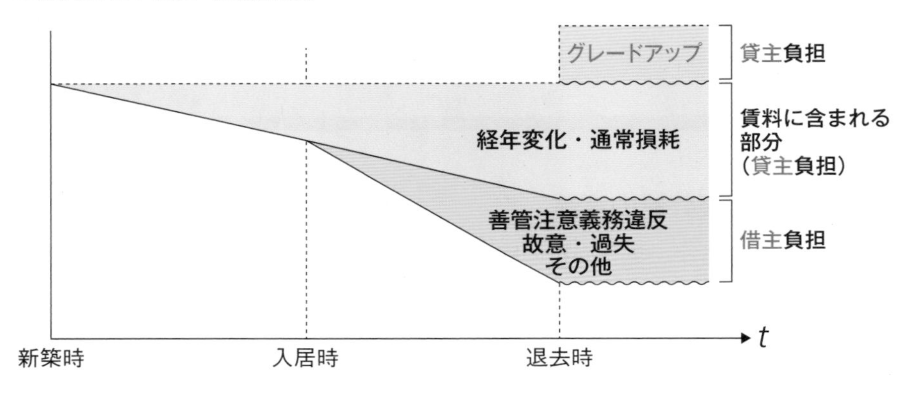

ひとこと

ただし、これらの負担割合の区分は、あくまで一般的な事例を想定していますので、借主の負担を、より詳細に決定することも可能です。

3 経過年数の考慮

長く使い続けると
借主の負担割合は減少するよ

例えば、借主が入居した時に、既に壁のクロスが数年使用されていた場合、借主の故意・過失によりクロスを傷つけたとしても、クロスの張替え費用の全額を借主に負担させるのは公平ではありません。そこで、ガイドラインでは、借主の故意・過失による損耗であっても、**建物や設備等の経過年数を考慮**し、経過年数が多いほど**負担割合を減少させる**としています。

■設備等の経過年数と借主負担の割合（耐用年数6年・定額法の場合）

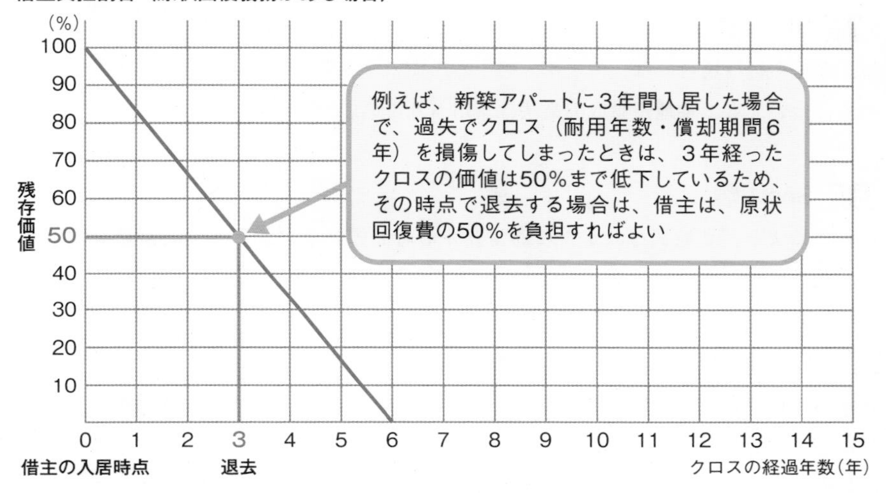

4 原状回復についての特約

ガイドラインと異なる特約も可能だよ

ガイドラインは、あくまでも負担割合等についての一般的な基準を示したもので、法的拘束力はありません。そのため、通常損耗分の補修費用を「**借主の負担とする特約自体は可能**」としています。ただし、以下の要件を満たしていなければなりません。

板書 原状回復についての特約

①特約の必要性があり、かつ、暴利的でないなどの**客観的・合理的理由**が存在すること
②借主が特約によって通常の原状回復義務を超えた修繕等の義務を負うことについて**認識していること**
③借主が特約による義務負担に対する**合意の意思表示**をしていること

CHAPTER2 過去問チェック！

問1 Sec.1 1

貸主が自ら行う場合には、借主が入居するまでの募集業務についても、借主入居後の業務についても、宅地建物取引業法は適用されない。 (H27)

問2 Sec.1 4

自転車による所要時間は、走行に通常要する時間の表示に加え、道路距離を明示する。 (R 元)

問3 Sec.1 7

居住用建物の賃貸借の媒介報酬は、借主と貸主のそれぞれから賃料の 0.5 か月分とこれに対する消費税を受け取ることができるのが原則だが、借主及び貸主双方の承諾がある場合には、それぞれから報酬として賃料の１か月分と消費税を受け取ることができる。 (R 2)

問4 Sec.2 2

管理受託方式では、借受希望者が当該物件に入居するのがふさわしいかどうかや、入居条件が妥当かどうかを管理業者が最終的に判断する。 (H29)

問5 Sec.2 3

借主の入れ替えに伴う鍵交換のタイミングは、新しい借主が決定した後ではなく、従前の借主が退去したときが望ましい。 (R 3)

問6 Sec.3 2

地震発生時、管理員が置かれていない建物では、震災後できるだけ早く賃貸物件を訪れて被害状況を把握し、復旧や後片付けを行う。 (H30)

問7 Sec.4 2

内容証明郵便は、いつ、どのような内容の郵便を誰が誰に宛てて出したかを郵便局（日本郵便株式会社）が証明する制度であり、文書の内容の真実性を証明するものではない。 (H29)

問8　Sec.5 2

ガイドラインによれば、ポスターやカレンダー等の掲示のための壁等の画鋲の穴は、壁等の釘穴、ねじ穴と同視され、借主の負担による修繕に該当する。　(H28)

問9　Sec.5 3

賃貸借契約書に原状回復について経年劣化を考慮する旨の定めがない場合、借主が過失により毀損したクロスの交換費用は経過年数を考慮せず、全額借主負担となる。

(R 3)

解答

問1　○

問2　○

問3　×　貸主・借主から合計して1か月分と消費税までのみ報酬として受領できる。それぞれから受け取れるのではない。

問4　×　管理受託方式では、物件のオーナー（貸主）が判断する。

問5　×　入居する新しい借主が決定した後が望ましい。

問6　○

問7　○

問8　×　画鋲の穴は貸主負担となる。

問9　×　経過年数を考慮する。

CHAPTER 3
実務に関する法令等

Sec. 1 賃貸借契約（修繕義務等）
Sec. 2 賃貸借契約（賃料等の支払）
Sec. 3 賃貸借契約（敷金等）
Sec. 4 賃貸借契約（更新・解約）
Sec. 5 賃貸借契約（賃借権の譲渡・転貸借）
Sec. 6 建物の所有者の変更
Sec. 7 賃貸借契約（定期建物賃貸借）
Sec. 8 契約の取消し
Sec. 9 保証
Sec. 10 委任
Sec. 11 請負契約
Sec. 12 個人情報保護法
Sec. 13 その他法令等
Sec. 14 賃貸住宅標準契約書等

Section 1

賃貸借契約（修繕義務等）

このSectionで学ぶこと

賃貸物件が災害等で壊れた場合、物件のオーナー（貸主）が必要な修繕をしなければなりません。また、オーナーに連絡がつかない等により、借主が修繕をした場合、オーナーはその費用（**必要費**）を借主に支払わなければなりません。

1　賃貸借契約の成立

当事者の合意だけで契約は成立するよ

賃貸借契約は、当事者間で賃貸について合意があれば、それで成立します。つまり、**物件の引渡し**や**賃貸借契約書の作成**は**不要**です。

2　貸主の修繕義務

貸主が修繕する義務を負うよ

貸主は、賃貸物件の使用収益に**必要な修繕をしなければなりません**。貸主は、借主から物件の使用の対価として賃料を受け取っているので、**貸主**には、借主が物件を問題なく**使用できる状態**になるように**修繕する義務**があります。

■ 修繕義務まとめ

<table>
<tr><td rowspan="2">①修繕義務の有無</td><td>・天変地異等の不可抗力による破損
・借主入居以前からの欠陥（雨漏り等）</td><td>貸主は修繕義務を負う</td></tr>
<tr><td>・修繕ができない場合
・借主の責任で修繕が必要となった場合</td><td>貸主は修繕義務を負わない</td></tr>
<tr><td>②修繕費用の負担</td><td colspan="2">原則 ・貸主が負担する
・借主が負担した場合は、借主は費用の償還請求ができる
例外 特約で小規模な修繕は借主負担とすることも可能</td></tr>
</table>

ひとこと

貸主が賃貸不動産の保存に必要な行為（修繕）をしようとするときは、借主はそれを拒否できません。

3 費用の負担

借主に返還しなければならない費用だよ

賃貸借契約で発生する費用には、**必要費**と**有益費**の２種類があります。必要費と有益費には、次のような違いがあります。

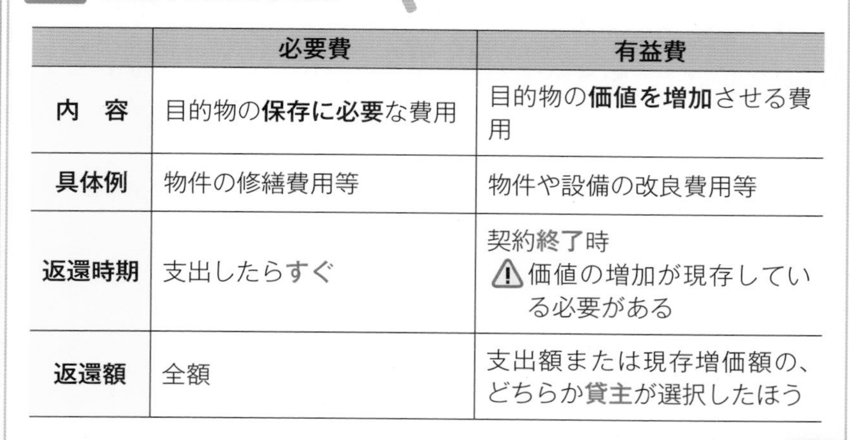

板書 必要費と有益費の違い

	必要費	有益費
内　容	目的物の**保存に必要**な費用	目的物の**価値を増加**させる費用
具体例	物件の修繕費用等	物件や設備の改良費用等
返還時期	支出したらすぐ	契約終了時 ⚠価値の増加が現存している必要がある
返還額	全額	支出額または現存増価額の、どちらか**貸主**が選択したほう

4 造作買取請求権

エアコン等は貸主に
買い取ってもらえるよ

貸主の同意を得て建物に付加した造作（畳など）がある場合、借主は、建物の賃貸借が終了するときに、貸主に対して、造作を時価で買い取ることを請求することができます。これを**造作買取請求権**といいます。ただし、この権利は**特約で**排除することができます。

Section 2 賃貸借契約（賃料等の支払）

このSectionで学ぶこと

賃貸借契約では賃料の額を定めることが一般的ですが、賃料が社会情勢の変化等で不相当となったときは、貸主または借主は将来に向かって**増減額**の請求をすることができます。

1 賃料の支払義務

特約で支払場所等は変更するのが一般的だよ

借主には賃料を支払う義務があり、「いつ・どこで支払うべきか」については、民法が規定しています。

賃料の支払時期	•原則、**毎月末**に支払う（後払い） •特約で「前月末までに支払う（先払い）」とすることもできる
賃料の支払場所	•原則、債権者（貸主）の住所に持参して支払う •特約で「口座振込み」とすることもできる

2 供託

法務局に家賃を預けるケースがあるよ

賃料は貸主に支払うのが原則ですが、貸主が受領を拒んでいる場合や、貸主死亡後に相続人が不明で、誰に支払っていいのかわからないことがあります。しかし、それでも、借主の賃料支払義務が消滅するわけではありません。

この場合、借主は賃料を供託することで、賃料の支払債務を免れます。

ひとこと

供託とは、国の機関である供託所（法務局・地方法務局）にお金などを預けることで、賃料を支払ったのと同じ効果が生じる制度です。

3 地代・家賃の増減額請求権

契約期間中に賃料の増額や減額ができるよ

建物の借賃が、租税その他の負担の増減や建物の価格の上昇・低下その他の経済事情の変動等や、近傍の同じような建物の借賃に比較して不相当となったときは、契約の条件にかかわらず、当事者は、将来に向かって建物の**借賃の額の増減**を請求することができます。

なお、**増額をしない旨の特約は有効**ですが、その一方で、**減額をしない旨の特約**は、借主を保護するために、原則、**無効**となります。

①増額をしない旨の特約…有効
②減額をしない旨の特約…**無効**
⚠定期建物賃貸借の場合は、減額しない旨の特約も**有効**

また、当事者間で増額請求・減額請求があった場合の賃料の支払は、以下のようになります

増額請求	**借主**は、裁判が確定するまでは、相当と認める額（例：それまでの賃料）の賃料を支払えばよい ⚠裁判で増額が確定した場合、借主がすでに支払った額に不足があるときは、借主は不足額に**年１割**の割合による**支払期限後の利息**を付して支払わなければならない

減額請求	**貸主**は、裁判が確定するまでは、相当と認める額の賃料を請求できる ⚠裁判で減額が確定した場合、貸主がすでに受け取った額が減額後の賃料を超えるときは、貸主は超過額に**年１割**の割合による**受領の時からの利息**を付して返還しなければならない

4　共益費

物件の日常管理に使用されるお金だよ

借主が賃料と一緒に支払う金銭として共益費があります。共益費とは、一般的に、階段、廊下等の共用部分の光熱費・上下水道使用料、清掃費用等の**日常の維持管理に必要な費用**をいいます。

Section 3 賃貸借契約（敷金等）

このSectionで学ぶこと

原状回復費用　　滞納賃料

賃貸借契約期間中に、借主が賃料を滞納したり、物件を損傷してしまうことがあります。これらのリスクを担保するため、借主が貸主に預ける金銭を敷金といいます。

1 敷金とは

滞納賃料等を担保するために借主が貸主に預けるお金だよ

敷金とは、一般的に、建物の賃貸借契約で、契約締結後から賃貸物件を貸主に返還するまでの間に生じた賃料の未払や、借主が建物を損傷したことによって発生する原状回復費用等の一切の債権を担保する目的で、**借主が貸主に預ける金銭**をいいます。

2 敷金の返還

敷金は担保のため預かっているだけだから借主に返さないといけないよ

貸主は、次のいずれかに該当した場合、滞納賃料等を敷金から差し引き、残額があれば、それを借主に返還しなければなりません。

板書　敷金の返還時期

①賃貸借が終了し、かつ、賃貸物件の返還を受けたとき
②借主が適法に賃借権を譲渡したとき

ひとこと
なお、建物の賃貸借契約では、建物の明渡し後に敷金を精算して返還することになります。つまり、「明渡し」が先、「敷金の返還」が後になります。

3　敷金以外の一時金

敷金とは異なる趣旨のお金があるよ

1　保証金

事業用のビル等の賃貸借の場合、「保証金」の名目で、**一時金**として賃貸借契約の締結に際して金銭の授受が行われることがあります。

保証金の性質については、**法律には具体的な定めがありません**。そのため、契約当事者は、どのような趣旨で保証金が授受されたのかを、**契約書に明確に定めておく必要**があります。

ひとこと
保証金を、①敷金としての性格を持つとする場合や、②賃貸借契約とは無関係の**金銭消費貸借契約**（お金の貸し借りの契約）と判断する場合などがあります。

2　礼金

「礼金」とは、賃貸借契約時に、**返還されない一時金**として、借主から貸主に支払われる金銭です。礼金は、契約終了後の返還義務がないという点で、「敷金」や「保証金」等の預託金とは性質が異なります。

4 敷引き

あらかじめ敷金から一定額を差し引く旨の合意のことだよ

「敷引き」とは、借主の責任の有無にかかわらず、賃貸物件の明渡し時に、**預けておいた敷金から一定の額を控除する合意**のことで、一般的に「敷引特約」または「償却合意」といわれます。

判例は、貸主が契約条件の１つとして「敷引特約」を定め、借主がこれを明確に認識した上で賃貸借契約の締結をしている場合で、かつ、敷引金の額が、賃料等に比べて高額すぎなければ、消費者である借主の利益を一方的に害するものとはいえないとして、「敷引特約」を**有効**としています。

Section 4

賃貸借契約（更新・解約）

重要度 S

このSectionで学ぶこと

賃貸借契約は、期間が満了しても更新して続けることができます。当事者間で合意をして更新するのが一般的ですが、合意が成立しなかった場合のため、借地借家法という法律では、自動更新（法定更新）を定めています。

1　賃貸借契約の存続期間

原則として1年以上が必要だよ

賃貸住宅等の建物の賃貸借（借家）では、契約期間の上限はありません。また、借家の場合、「契約期間は最低1年以上」とする必要があり、**1年未満の期間**を定めたときは、「**期間の定めのない賃貸借契約**」として取り扱われます。

ひとこと

「期間の定めのない賃貸借契約」とは、契約期間の設定がそもそもないため、期間満了で「契約終了」あるいは「更新」とならない契約のことです。したがって、終了させる場合は、必ず当事者の一方から解約の申入れをしなければなりません。

2 建物賃貸借の更新

賃貸借を更新して
続けることもできるよ

建物の賃貸借契約の存続期間が満了した後も契約関係を続けたい場合、貸主・借主は、お互いに契約を**更新**することができます。更新には、次の２種類があります。

1 合意更新

貸主・借主間で更新後の契約内容等を合意した上で行う更新を、一般的に、合意更新といいます。

2 法定更新

認められているのが合意更新だけだと、万一、貸主・借主間で契約内容について合意に至らなかった場合に、借主が貸主から立ち退きを求められてしまうおそれがあります。その場合に備えて、借地借家法は、**法定更新**（自動更新）という制度を設けて、次のように定めています。

❶ 更新拒絶の通知をしない場合

貸主および借主が、**期間満了の１年前から６ヵ月前**までに**更新拒絶の通知をしない**場合には、賃貸借契約は「自動更新された」と扱われます。この仕組みを「**法定更新**」といいます。なお、**貸主**から更新を拒絶をする場合、**正当事由**が必要となります。その一方で、**借主**から更新を拒絶する場合は、正当事由は**不要**です。

ひとこと

法定更新の場合、更新後は「期間の定めのない契約」となりますので、契約を終了させるには、貸主・借主のどちらかから解約を申し出なければなりません。

❷ 期間満了後に物件を使用継続した場合

貸主が正当事由ある更新拒絶をした場合でも、期間満了後、借主が賃貸物件をそのまま**使用継続**し、貸主が遅滞なく**正当事由ある異議**を述べないときは、契約は**自動的に更新**（法定更新）されます。

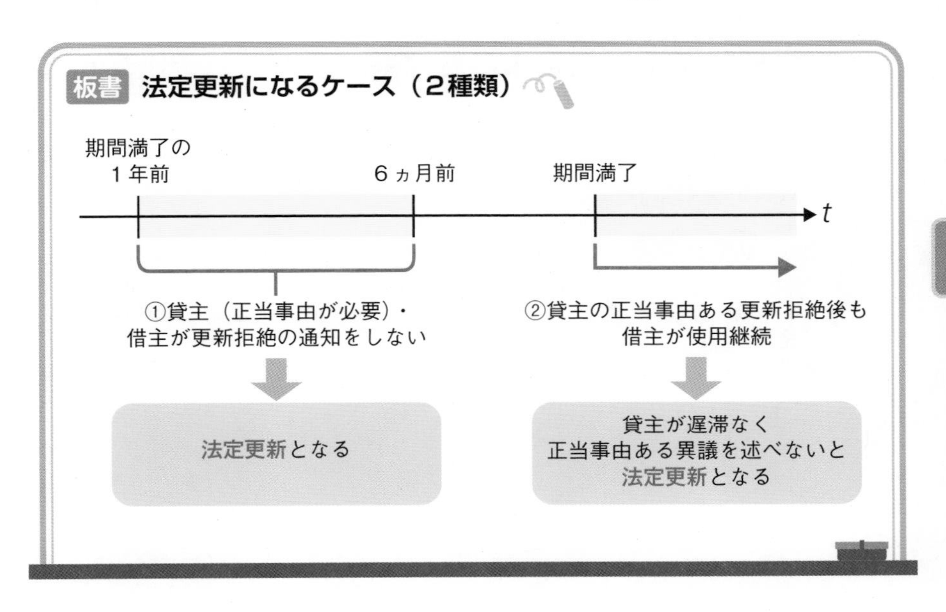

3　期間の定めのない建物賃貸借契約の解約申入れ

当事者からの解約申入れで終了するよ

期間の定めのない建物賃貸借契約の場合は、貸主・借主からの**解約の申入れ**で賃貸借契約は**終了**します。

①貸主からの解約申入れ…**6ヵ月**経過で契約終了
②借主からの解約申入れ…**3ヵ月**経過で契約終了
⚠貸主からの解約については正当事由が必要

4　契約期間の定めがある場合の中途解約申入れ

中途解約には特約が必要だよ

賃貸借契約に契約期間の定めが**ある**場合、中途解約（期間内解約）はそれを認める**特約**がないと認められません。

5 賃貸物件の滅失による終了等

賃貸物件が壊れたら
賃貸借契約は終了だよ

賃貸物件が**全部滅失**（全壊等）してしまったら、住み続けるのは不可能ですので、賃貸借契約は終了します。

ひとこと

賃貸物件の**一部が滅失**した場合、滅失した部分の割合に応じ、賃料が減額されます。また、残部では目的が達成できない場合は、借主からの賃貸借契約の解除も認められます。

Section 5

賃貸借契約（賃借権の譲渡・転貸借）

重要度 S

このSectionで学ぶこと

賃貸不動産経営では、不動産管理会社がオーナーからアパートをまるごと借り上げ、それを入居者へ貸すことがあります。これを**転貸借**（サブリース）といいます。民法では、賃借権を譲渡したり、他人に転貸することも認められています。

1 賃借権の譲渡

賃借権を他人に譲渡することもできるよ

賃借権そのものを他人に譲渡することを、**賃借権の譲渡**といいます。賃借権の譲渡をするには、**貸主の承諾**が必要です。賃借権の譲渡を行うと、それまでの借主は契約から離脱し、貸主と新借主との間で、契約が引き継がれます。

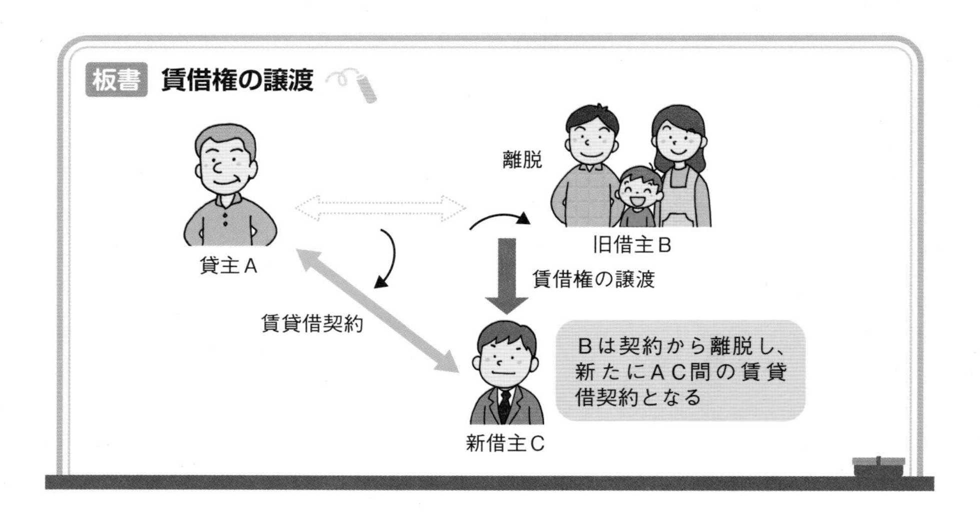

2 転貸借契約

借りている物件を又貸しすることもできるよ

転貸借契約（サブリース契約）とは、「他人の物件を借りて、それを転借人に貸すこと（又貸し）」をいいます。転貸借も、貸主の承諾がなければ行えません。

そして、転貸借では、**転借人**は貸主に対して賃料の支払義務等につき、**直接義務を負います**。

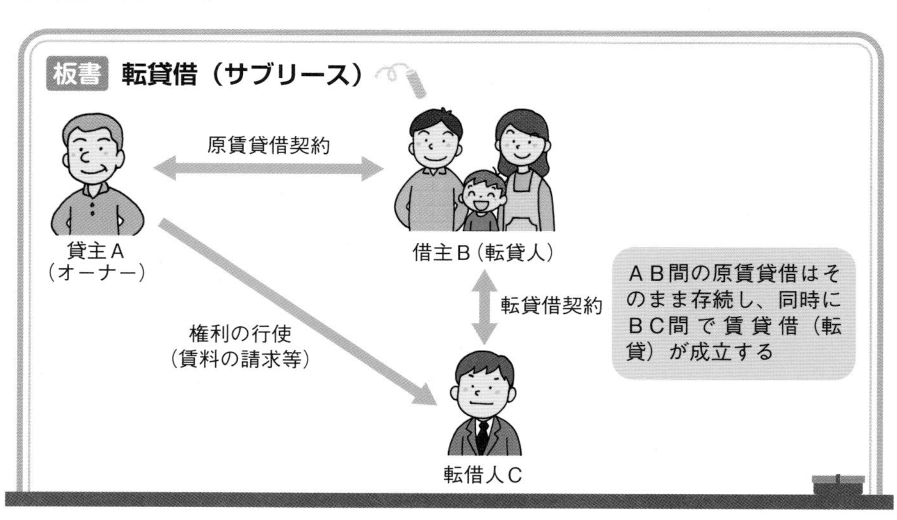

なお、貸主が転借人に賃料を請求する場合、賃料と転借料のうち、**低額のほう**が限度となります。

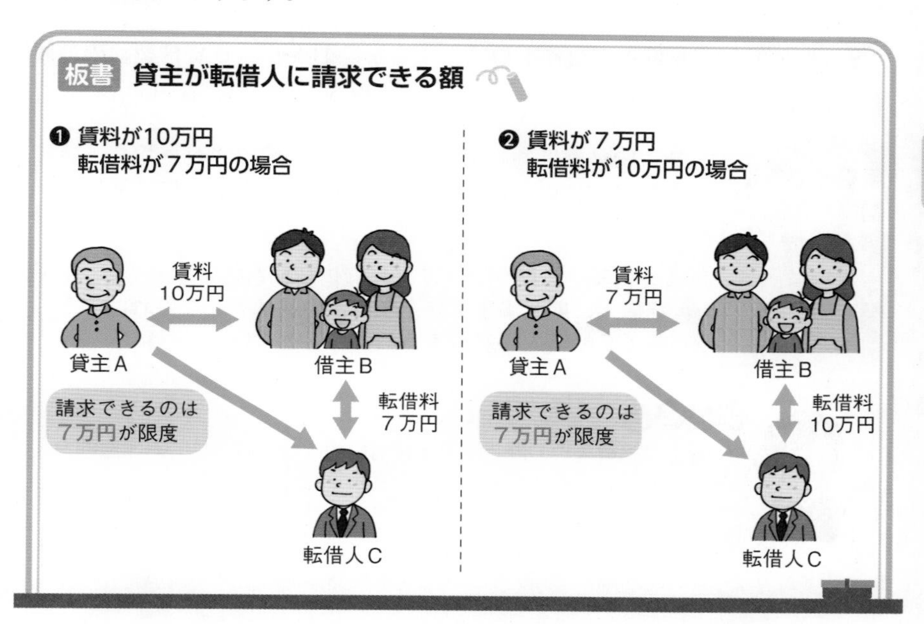

3 無断転貸・無断譲渡

勝手に転貸をすると解除されるよ

貸主の承諾を得ずに、借主が**無断**で**転貸借・賃借権の譲渡**をして、他人に**使用収益**をさせた場合、貸主は**契約**を**解除**することができます。

ひとこと

無断での転貸・譲渡であっても、その行為が貸主に対する**背信的行為と認めるに足りない特段の事情**がある場合は、契約を解除することはできません。

4 転貸借契約の終了

賃貸借契約が終了すると
転貸借も終了するよ

転貸借契約は、**転貸人**の債務不履行による解除および原賃貸借契約の期間満了等によって、終了します。

債務不履行に基づく解除	転貸人の債務不履行で原賃貸借契約が解除された場合、賃貸人が転借人に対し目的物の返還を請求したときに、転貸借契約は履行不能により終了する
原賃貸借契約の期間満了	原賃貸借契約の期間満了で、転貸借契約も終了する ⚠転借人に期間満了で終了する旨の通知をしなければ、その終了を転借人に対抗することができない

ひとこと

貸主と転貸人との間だけで賃貸借契約を合意解除しても、原則として、転借人に対抗することができません。

建物の所有者の変更

このSectionで学ぶこと

賃貸借契約の期間中に、賃貸物件が売買されたり競売されることで、**物件のオーナーが変更**になることがあります。このような場合に、賃貸借契約はどうなるのでしょうか。

1 賃貸物件の所有者の変更

オーナー（所有者）と賃借人のどちらが優先するかのルールがあるよ

賃貸物件の所有者が変更された場合、新しい所有者が借主に立退きを求める等、借主の賃借権と所有者の所有権が対立する場合、**対抗要件を先に備えた方が優先する**とされています。

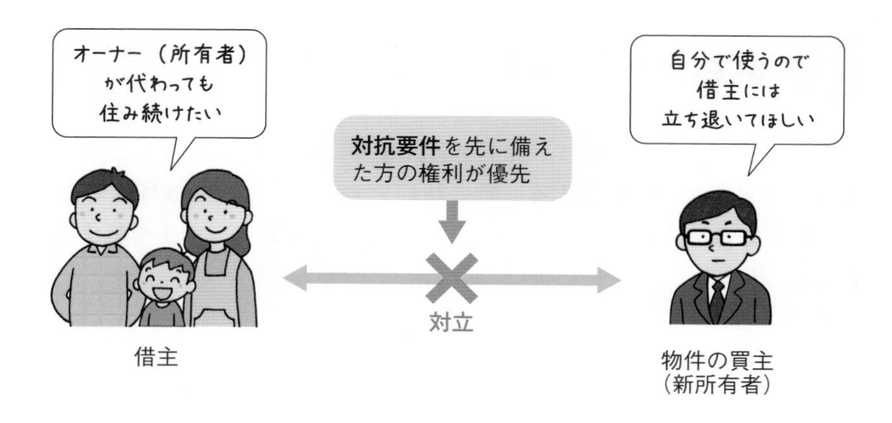

対抗要件には以下のものがあります。

板書 対抗要件の種類

①所有権・賃借権の不動産登記（法務局にある帳簿に権利を記録すること）

②建物の賃借権の場合は、建物の引渡し

2 借主が先に対抗要件を備えていた場合

賃貸借は継続するよ

借主が先に対抗要件を備えていた場合、**借主の賃借権が優先する**ため、賃貸物件の新所有者は、借主に立退きを求められません。新所有者を貸主として賃貸借契約はそのまま継続します。

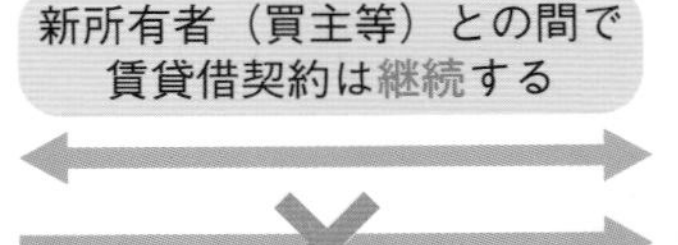

3 貸主の地位を留保した場合

物件を譲渡した後も旧オーナーが貸主（転貸人）になるよ

貸主が賃貸物件を売却し、買主が新所有者になる場合に、「**貸主の地位を譲渡人（旧貸主）に留保する**」旨の特約をすることができます。これにより、**新所有者を貸主**、以前の所有者（**旧貸主**）を**転貸人**、**借主**を**転借人**とすることになります。

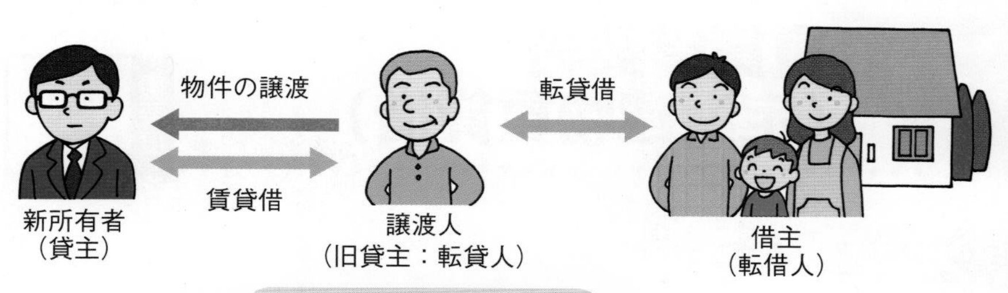
物件の譲渡
賃貸借
転貸借
新所有者
（貸主）
譲渡人
（旧貸主：転貸人）
借主
（転借人）
貸主の地位が留保される

Section 7

賃貸借契約（定期建物賃貸借）

重要度 S

このSectionで学ぶこと

貸主が賃貸借契約の更新を拒絶するためには正当事由が必要です。このため、一度借主に物件を貸すとなかなか返してもらえないことを心配して、物件を貸すことをためらうオーナーもいます。そこで、借地借家法では、定期で終了し、更新がない**定期建物賃貸借**について定めています。

1 定期建物賃貸借の意義・要件

更新しない賃貸借だよ

貸主による賃貸借契約の更新拒絶や解約の申入れには、正当事由が必要です。そのため、一度賃貸借契約を締結すると契約を終了させることが難しく、賃貸借契約が長期化しやすいことが、従前から問題になっていました。そこで、「賃貸借契約が定期で終了し、更新がない」**定期建物賃貸借**という制度が導入されました。

定期建物賃貸借の要件等は、次のとおりです。

契約方法	公正証書**等**の**書面**または**電磁的記録**による ⚠公正証書でなくても、何らかの書面または電磁的記録であれば可
期間	• 上限なし • 1年未満の期間（例えば6ヵ月）の設定も有効

事前説明	貸主は、契約を締結する前に、借主になろうとする者に対して、「契約の更新がなく、期間の満了により賃貸借が終了する」ことについて、その旨を記載した**書面を交付または電磁的方法により提供して口頭で説明しなければならない** ⚠この書面は「契約書面」とは別途に必要 ⚠書面を交付または電磁的方法により提供した上での説明をしなかった場合、更新が可能な「一般の賃貸借契約」として成立する
契約が終了する旨の通知	期間が1年以上の場合、貸主は期間満了の**1年から6ヵ月前**までに期間の満了により**賃貸借が終了する旨の通知**をしなければ、賃貸借の終了を借主に主張できなくなる
終了	期間満了により終了する
家賃の増減	特約の定めに従う ⚠**減額**しない旨の特約も**有効**

2 定期建物賃貸借の中途解約

借主は特約がなくても解約できる場合があるよ

定期建物賃貸借以外の賃貸借では、特約がなければ、貸主・借主どちらからも中途解約はできないのが原則です。しかし、定期建物賃貸借では、以下の要件を満たした場合、**借主**からの中途解約を認めています。

①用途が**居住用**であること
②床面積が**200㎡**未満であること
③転勤や療養看護等のやむを得ない事情で建物を使用できなくなったこと

3 定期建物賃貸借の再契約

更新ではなく再契約になるよ

定期建物賃貸借では、更新がないため、いったん契約が終了した後も継続してさらに賃貸不動産を借りたい場合は、**再契約が必要となります**。ただし、貸主が再契約の要請に応じるか否かは、**任意**となります。

Section 8

契約の取消し

このSectionで学ぶこと

未成年者や認知症の人が、判断能力が不十分なことに付け込まれて契約を締結させられたり、**詐欺**や**強迫**等で契約を締結させられたりする場合があります。この場合、未成年者や認知症の人、詐欺や強迫の被害者は、**契約を取り消す**ことができます。

1　制限行為能力者

1人で有効に契約ができない人もいるよ

契約は、原則として、当事者の意思の合致があれば成立します。しかし、未成年者のように、まだ契約等についての知識が未熟な人や、認知症の人のように判断能力が十分でない人を守る必要もあります。そこで、以下の制限行為能力者については、単独で行った契約を**取り消すことができる**としています。

1　未成年者

民法では、**18歳未満**の人を未成年者としてます。未成年者が、法定代理人（親権者等）の**同意を得ず**に契約した場合、その契約を未成年者や法定代理人が**取り消すことができます**。ただし、以下の場合は法定代理人の同意がなくても行うことができます。

①単に権利を得、または義務を免れる行為
例：タダで物を貰う等
②法定代理人が処分を許した財産の処分
例：小遣いで買い物をする
③許可された営業に関する行為
例：賃貸住宅管理業を許可された未成年者が貸主と管理受託契約を締結する

2　成年被後見人

認知症等の精神上の障害により、判断能力を欠く常況にある人については、本人や配偶者等は家庭裁判所に**後見開始の審判**を申し立てることができます。後見開始の審判を受けた者を**成年被後見人**といいます。また、成年被後見人の契約等を代わりに行う保護者を**成年後見人**といいます。

成年被後見人が１人で契約してしまった場合、成年被後見人や成年後見人は契約を**取り消すことができます**。ただし、**日用品の購入その他日常生活に関する行為**は取り消すことができません。

3　被保佐人

精神上の障害により、判断能力が著しく不十分な人については、本人や配偶者等は家庭裁判所に**保佐開始の審判**を申し立てることができます。保佐開始の審判を受けた者を**被保佐人**といいます。また、被保佐人を保護する人を**保佐人**といいます。

被保佐人は、不動産の売却や新築・改築・増築・大修繕等を１人で行うことができず、保佐人の同意を得ずにこれらの行為をした場合は、**取り消すことができます**。

4　被補助人

精神上の障害により、判断能力が不十分な人については、本人や配偶者等は家庭裁判所に**補助開始の審判**を申し立てることができます。補助開始の審判を受けた者を**被補助人**といいます。また、被補助人を保護する人を**補助人**

といいます。

被補助人は、補助人に同意権が与えられた場合、家庭裁判所の審判により定められた行為について1人で行うことができず、補助人の同意を得なければならない行為を同意を得ずにした場合は、取り消すことができます。また、補助人に代理権が与えられた場合は、補助人が被補助人に代わって契約をすることができます。

2 錯誤・詐欺・強迫

詐欺の被害者等を守るため
契約の取り消しが認められるよ

勘違いして契約をした場合や詐欺や強迫にあって契約をした場合、その契約は取り消す（キャンセル）ことができます。

1 錯誤（さくご）

勘違いをして契約をした場合を錯誤といいます。この場合、以下の要件を満たすと、その契約は取り消すことができます。

■錯誤取消しの要件

①契約の重要な部分（要素）に錯誤があった
②錯誤をした者に重大な過失がない
③動機の錯誤の場合は、動機が表示されていること

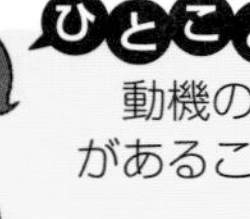

ひとこと
動機の錯誤とは、契約をする理由となった事情（動機）に勘違いがあることをいいます。

2 詐欺・強迫

詐欺は相手方にだまされて契約をすることをいい、強迫は脅されて契約をすることをいいます。詐欺・強迫による契約は取り消すことができます。

Section 9 保証

重要度 A

このSectionで学ぶこと

賃貸借契約では、借主の賃料滞納等に備えるため、連帯保証人を立ててもらうことが一般的です。保証人の責任等については、民法に規定されています。

1 保証

他人の債務を代わりに履行することを保証というよ

1 保証契約の成立

本来の債務者（**主たる債務者**といいます）がその債務（賃料の支払義務等）を履行しない場合に、債務者以外の人（保証人）が債務者に代わって履行する義務を負うことを**保証債務**といいます。例えば、賃貸借契約において、債務者（借主）が賃料を支払わなかった場合には、保証人が代わりに賃料を支払う義務を負います。

保証契約は、**債権者**と保証人の間で契約をする必要があり、また、必ず**書面**または**電磁的方法**で行わなければなりません。

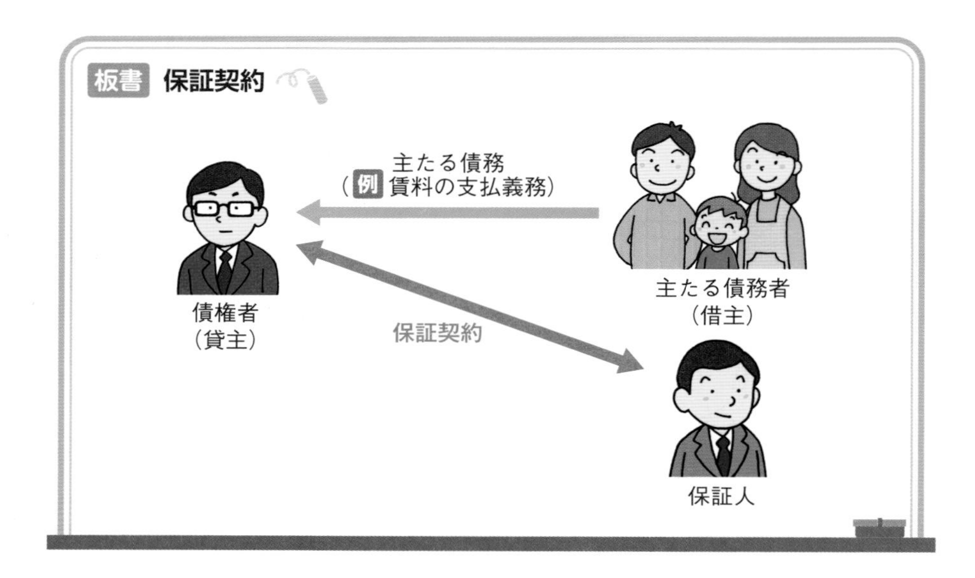

2 保証契約の性質

保証契約には、次のような特徴があります。

<table>
<tr><td>①独立性</td><td colspan="2">貸主と保証人との間の別個独立した契約であるということ</td></tr>
<tr><td rowspan="3">②付従性</td><td colspan="2">• 保証債務は、貸主・借主の賃貸借契約に付き従うということ
• 賃貸借契約の更新・再契約の際の保証契約継続や終了は、次のとおりとなる</td></tr>
<tr><td>賃貸借契約が合意更新された場合</td><td>保証契約は、原則として、合意更新後も継続する</td></tr>
<tr><td>定期建物賃貸借契約が期間満了により終了した場合</td><td>期間満了で賃貸借契約は終了し、保証契約も終了する</td></tr>
<tr><td>③随伴性</td><td colspan="2">貸主が賃貸物件を第三者に譲渡した場合、保証債務も新貸主に移転するということ</td></tr>
</table>

<table>
<tr><td rowspan="3">④補充性</td><td colspan="2">・借主が賃料支払を履行できないときに、保証人はその補充として代わりに賃料等を支払うということ
・補充性には以下の２つの抗弁権（相手の請求を拒む権利）が認められる</td></tr>
<tr><td>催告の抗弁権</td><td>まず主債務者（借主等）に催促するよう、債権者に請求できる権利</td></tr>
<tr><td>検索の抗弁権</td><td>まず主債務者の財産から強制執行をかけるよう、債権者に請求できる権利</td></tr>
</table>

3　保証債務の範囲

保証債務が負担する範囲には、主たる債務に関する利息、違約金、損害賠償等が含まれます。債権者が保証人に対して、これらの支払を期待するのも当然だからです。

ひとこと

借主が賃貸借契約の解除後に明渡しを遅滞したことによって生じた賃料相当損害金も、保証債務の範囲に入ります。

4　分別の利益

複数の保証人がいる場合、各自が負担する債務の額は、**保証人の数**に応じて**分割されます**。これを分別の利益といいます。この分別の利益は、**連帯保証**（後述）では**認められません**。

2　連帯保証

補充性と分別の利益のない保証だよ

連帯保証とは、保証人が、主たる債務者と**連帯**して債務を負担する旨について、債権者と合意して行う保証をいいます。

連帯保証には、「単なる保証」と違って**補充性がありません**。したがって、債権者が主たる債務者よりも**先に**連帯保証人に請求することも可能です。また保証人が複数人いても、各連帯保証人に、それぞれ**全額**の請求をすることもできます。

3 個人根保証

負担する額の上限を
定める必要があるよ

根保証とは、例えば賃貸借契約の連帯保証人のように、「**一定の範囲に属する不特定の債務**（滞納賃料等）」を保証するものをいいます。**個人**が根保証をする場合、保証契約の書面（または電磁的記録）に**極度額**（保証の上限額）の定めを設けておかなければ**無効**となります。

委任

重要度 A

このSectionで学ぶこと

他人に事務処理を依頼する契約を委任契約といいます。貸主と管理業者の間で締結される管理受託契約は、この委任契約がベースになるケースがあります。委任者である貸主と受任者である管理業者に、それぞれどのような義務が生じるのでしょうか。

1 管理受託契約と委任契約

他人に事務を依頼する契約だよ

管理受託契約とは、貸主が、賃貸物件の管理について管理業者に委託する契約をいいますが、管理受託契約は、民法上の**委任契約**に該当するケースがあります。委任では、**依頼した側を委任者**、**依頼を受けた側を受任者**といいます。

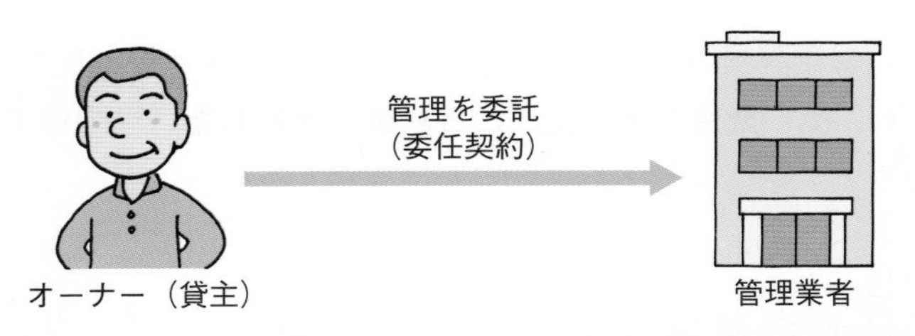

依頼した側：「委任者」となる

依頼を受けた側：「受任者」となる

賃貸住宅管理業法では、管理業務に建物の維持保全が含まれます。そのため、管理受託契約が①委任（準委任）契約のパターン、②請負契約（後出）のパターン、③両者の混合契約のパターンが考えられます。

2 委任者（依頼した側）の義務

費用の負担は
依頼者の義務だよ

1 報酬支払義務

委任契約は、民法上は原則、**報酬が発生しない契約**（無報酬）です。したがって、受任者が委任者に報酬を請求するためには、特約で定めておく必要があります。ただし、管理業者は**商法上の「商人」**に該当するので、**特約が**なくても**報酬を請求できます**。

報酬の支払は、原則として、後払となります。

2 費用前払義務

委任事務の処理について費用が必要なときは、**受任者が請求すれば**、委任者は費用の**前払**をしなければなりません。

3 費用等の償還義務

受任者は、委任事務の処理に必要と認められる費用を支出した場合には、委任者に対し、その**費用**および**支出の日以後に発生した利息の償還**を請求することができます。

3 受任者の義務

善管注意義務という
厳しい注意義務を負うよ

受任者（管理業者）は、委任者（貸主）のために行う事務については、次のような義務を負います。

1 事務処理についての善管注意義務

受任者は、依頼された事務処理について、**有償無償に関係なく**善良なる管理者の注意義務（善管注意義務）をもって行わなければなりません。

ひとこと

善管注意義務とは受任者の職業や専門家としての能力等から考えて、通常要求される注意義務をいいます。

2 委任事務処理の報告義務

受任者は、委任者に対して、次のような報告義務を負います。

板書 委任者への報告義務

①委任者からの**請求**があった場合
…**いつでも**委任事務の処理の状況を報告しなければならない

②委任が**終了した後**
…**遅滞なく**その経過および結果を報告しなければならない

3 受取物・果実等の引渡義務

受任者が借主から受け取った賃料や、賃料から生じた利息は、委任者に引き渡さなければなりません。

4 委任の解除・終了

委任契約はいつでも止められるよ

1 委任の解除

委任契約は、いつでも、当事者のどちらからでも解除することができます。委任契約が、そもそも当事者間の信頼関係に基づいているため、信頼関係が破壊された場合には、すぐ契約解除すべきだからです。なお、一方に不利な時期に解除する場合等は、**損害賠償**をしなければなりませんが、**やむを得ない事情**があれば、その責任は免除されます。

2 委任の終了

委任契約は、当事者による解除に加えて、次の事由でも終了します。

板書 委任の終了事由

委任者	死亡・破産手続開始決定
受任者	死亡・破産手続開始決定・**後見開始の審判**

ひとこと

後見開始の審判とは、認知症などによって**判断能力を欠く状態**にある人（成年被後見人）のために、家庭裁判所が選任した成年後見人に財産の管理等を任せる制度です。

請負契約

このSectionで学ぶこと

請負人が仕事の完成を約束し、注文者がその仕事の結果に対し報酬を支払うことを約束する契約を請負契約といいます。賃貸住宅管理業法が賃貸物件の維持保全を管理業務の中心的業務としたことで、管理受託契約が請負の性格を有するケースも出てきました。

1　請負契約とは

報酬と引き換えに依頼された業務を完了する契約だよ

請負契約とは、請負人が仕事の完成を約束し、注文者がその仕事の結果に対し報酬を支払うことを約束することで効力が生じる契約です。管理業務のうち、清掃業務や建物の修繕工事を行う契約は請負契約になります。

2　報酬の支払時期

報酬は後払いが原則だよ

報酬は原則として、仕事が完成した後に支払われます（後払い）。ただし、仕事の目的物が引渡しを必要とする場合は、引渡しと同時に報酬が支払われます。

ひとこと
建物の修繕工事や清掃業務は引き渡す物がない請負契約です。これに対して、賃貸物件の建築請負契約は、賃貸物件という物の引渡しが必要となる請負契約です。

3 請負人の担保責任

欠陥等があった場合、請負人は、修補等をしないといけないよ

例えば修繕工事に欠陥がある等、請負人の完成させた仕事の品質等が**契約の内容に適合しない**場合、注文者は請負人に以下の責任を追及できます。

①追完請求（修補等の請求）
②報酬減額請求
③損害賠償請求
④契約の解除

4 契約の解除

注文者は、工事途中でも解除ができるよ

請負契約では、債務不履行や上記の担保責任で契約を解除する場合以外にも、以下の場合に解除することができます。

注文者による契約解除	請負人が**仕事を完成しない間**は、注文者は、いつでも損害を賠償して契約の解除をすることができる
注文者の破産手続の開始による解除	注文者が**破産手続開始の決定**を受けたときは、①請負人または②破産管財人（破産者の財産を管理するため裁判所に選任された者。一般的には弁護士）は、契約の解除をすることができる

個人情報保護法

重要度 S

このSectionで学ぶこと

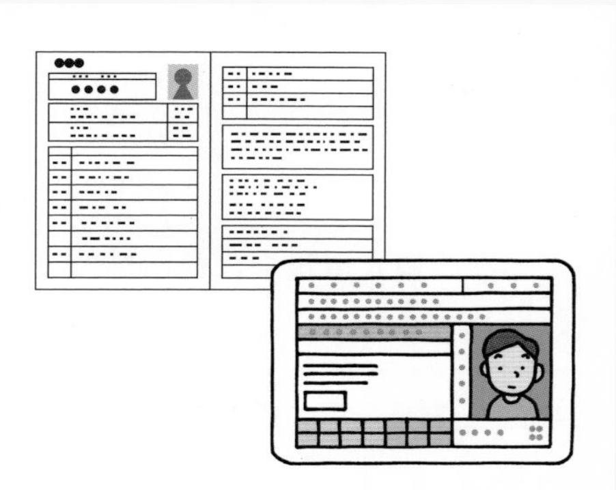

管理業者は、その業務上、貸主や入居者の**個人情報**を取得します。これら個人情報を適切に管理する義務が、管理業者には課せられます。

1 個人情報

氏名等以外にも指紋等も該当するよ

個人情報保護法によって保護される**個人情報**は、**生存する個人**に関する情報です。また、個人情報というためには、次のいずれかの、**特定の個人を識別**するための要件（**個人識別性**）が**必要**となります。

板書 個人情報の要件

①名前や住所等、**情報に含まれる記述等**で、特定の個人を識別できること

↑ 音声や防犯カメラの映像も含まれる

②個人識別符号（以下の２つのいずれか）が含まれること

- 顔認識データや指紋認証等、特定の個人の**身体の一部の特徴**を電子計算機のために変換した符号
- 免許証番号、マイナンバーやパスポートの番号等、**対象者ごとに異なるように書類等に付される符号**

2 個人情報取扱事業者・個人情報データベース等

個人情報をデータベース化して事業に利用しているよ

1 個人情報取扱事業者

個人情報取扱事業者とは、**個人情報データベース等**を**事業の用に供している者**をいいます。個人情報保護法は、不動産賃貸業については、個人情報を顧客リストや入居者リストのようにデータベース化し、事業に使用している者を、個人情報取扱事業者として規制しています。

2 個人情報データベース等

個人情報データベース等とは、次のような「個人情報を含む情報の集合物」を指します。

①特定の個人情報を、電子計算機（コンピュータ）を用いて検索することができるように体系的に構成したもの（例えば、パソコンで作成した顧客のデータベース等）
②特定の個人情報を、容易に検索することができるように体系的に構成したもの（例えば、紙で作成した顧客リスト等）

3 個人データ

個人データとは、**個人情報データベース等を構成**する（データベース化された）**個人情報**をいいます。

4 保有個人データ

保有個人データとは、個人情報取扱事業者が、**開示**、内容の訂正、追加・削除、利用の停止、消去および第三者への提供の停止を行うことのできる権限を有する個人データをいいます。

3 個人情報取扱事業者の義務

個人情報等を適切に取り扱わないといけないよ

個人情報取扱事業者は、以下のような義務を負います。

1 利用目的の特定

個人情報取扱事業者は、個人情報を取り扱うにあたっては、その利用目的をできる限り特定しなければなりません。

2 利用目的の変更

個人情報取扱事業者は、個人情報の利用目的を変更する場合には、変更前の目的と関連性を有すると合理的に認められる範囲を超えて行ってはなりません。

3 利用目的による制限

個人情報取扱事業者は、あらかじめ本人の同意を得ないで、特定された利用目的の達成に必要な範囲を超えて、個人情報を取り扱ってはなりません。

4 取得に際しての利用目的の通知等

個人情報取扱事業者は、個人情報を取得した場合は、**あらかじめ**その利用目的を公表している場合を除き、速やかに、その利用目的を、**本人に**通知し、または公表しなければなりません。

5 契約書等で個人情報を取得した際の利用目的の明示

個人情報取扱事業者は、契約書等の書面**に記入された個人情報**を取得する場合、**あらかじめ、利用目的**を**本人に明示**しなければなりません。ただし、**人の生命、身体または財産の保護**のために**緊急に必要がある場合**は、**明示は**不要となります。

4 第三者への提供

第三者へ個人データを
提供することも認められるよ

個人情報取扱事業者は、原則として、あらかじめ**本人の**同意**を得ずに**、個人データを第三者に提供してはなりません。しかし、次のような場合は、本人の同意は不要となります。

①本人からの求めに応じて個人データの第三者への提供を停止すること等を事前に本人に通知等をし、加えて事前に個人情報保護委員会に届け出ている場合（オプトアウト）
②利用目的達成に必要な範囲内で行う**委託先への提供**
③合併・営業譲渡・会社分割等の事業承継に伴う提供
④共同利用（一定のグループ内での個人情報の利用）の場合

Section 13　その他法令等

重要度 B

このSectionで学ぶこと

今まで学習してきた一般的な賃貸借契約以外に、高齢者等が物件を借りやすくするための特殊な契約やそれを補助する制度等があります。管理業者として、これらの制度を理解しておくことが重要となります。

1　高齢者の居住の安定確保に関する法律（高齢者居住法）

高齢者が安心して生活できるための制度を定めているよ

高齢者居住法では、高齢者向けの良質な住宅の供給を促進し、高齢者が安心して生活できる居住環境を実現するため、①**サービス付き高齢者向け住宅**や、②**終身建物賃貸借制度**を規定しています。

1　サービス付き高齢者向け住宅（サ高住（さこうじゅう））

サービス付き高齢者向け住宅（サ高住）は、主に要介護度が高くない高齢者を対象にしたバリアフリー住宅です。サービス付き高齢者向け住宅の**サービスとは**、**安否確認**と**生活相談**をいい、基本的には介護サービスは付いていないところが、介護付き有料老人ホームと異なります。

2　終身建物賃貸借制度

賃貸住宅に住んでいる高齢者には、新しく物件を借りる場合の困難さや、貸主からの立退き要請に対する怯えなどの不安が常に伴います。

そこで、**高齢者居住法**では、高齢者が賃貸住宅に安心して住み続けられる仕組みとして、高齢者に対して**バリアフリー化された住宅を終身にわたって**賃貸する事業を行う場合には、借主と賃貸借契約を締結する際に、「**借主が死亡した時に契約が終了する旨**」を定めることができるとしています。

2 住宅宿泊事業法（民泊新法）

一般住宅に旅行者などを宿泊させるサービスだよ

近年の外国人観光客の増加により、既存の旅館やホテルでは十分な数の客室を用意できず、旅館等以外の住宅を宿泊業に使う必要性が高まりました。また、社会問題化している**空き家対策**として、空き家を旅館等の代わりの宿泊施設として活用することも、検討が進められています。

そこで、新たに「民泊」という、住宅の一部・全部を活用して宿泊サービスを提供する営業形態を認めつつ、住宅宿泊事業法により、民泊を規制しています。

1 住宅宿泊事業とは

住宅宿泊事業とは、旅館業法に規定する営業者（旅館やホテル等）以外の者が、宿泊料を受けて住宅に人を宿泊させる事業であって、宿泊させる日数が1年間で**180日以下**のものをいいます。

2 住宅宿泊管理業とは

住宅宿泊管理業とは、住宅宿泊事業者から、**委託**を受けて、報酬を得て、宿泊者の衛生や安全の確保等の**住宅宿泊管理業務**を行う事業をいいます。

ひとこと

住宅宿泊管理業を行うには、賃貸住宅管理業者である等の一定の要件を満たさなければなりません。

3　住宅確保要配慮者に対する賃貸住宅の供給の促進に関する法律（住宅セーフティネット法）

住宅確保が困難な人を支援する法律だよ

低所得者や被災者、高齢者等は、住宅確保に配慮が必要となります。「住宅確保要配慮者に対する賃貸住宅の供給の促進に関する法律（**住宅セーフティネット法**）」は、これらの住宅確保要配慮者に住宅を供給するための支援の指針を定めた法律です。

1　住宅確保要配慮者の入居を拒まない住宅の登録制度

住宅確保要配慮者の**入居を拒まない住宅**（セーフティネット住宅）として、都道府県知事に**登録**することができる制度があります。登録を受けることで、国や地方公共団体による**住宅の改修費用に対する支援**が受けられます。登録の要件には、以下のものがあります。

板書　住宅確保要配慮者の入居を拒まない住宅の登録の要件

①住宅が耐震性を有すること
②住戸の床面積が、原則として、25㎡以上であること
③台所・食事室・便所・浴室・洗面所等を適切に設けること

ひとこと

登録の際には、入居を受け入れる住宅確保要配慮者の範囲を定めることが認められています。例えば、住宅確保要配慮者のうち、高齢者に限定する等です。

2　住宅確保要配慮者の入居の円滑化

住宅確保要配慮者の入居を円滑に行うため、次のような制度が定められています。

板書 **住宅確保要配慮者の入居の円滑化**

①**住宅確保要配慮者居住支援法人**による入居相談・援助

↑

都道府県知事によって指定された
一般社団法人等

②家賃債務保証の円滑化
⇒住宅金融支援機構が、家賃債務保証に要した金額を一定程度まで保証できる

③生活保護受給者の住宅扶助費等についての**代理納付**

↑

生活保護費のうち家賃部分は、生活保護者に支給せず、直接貸主に支給する制度

4 住生活基本法

住生活の安定等のための
基本理念とその目標を定めるよ

住生活基本法とは、豊かな住生活の実現を図るため、住生活の安定の確保と向上の促進に関する施策について、その**基本理念**、**国・地方公共団体・住宅関連業者の責務の明確化**、**住生活基本計画の策定**その他の基本となる事項について定めた法律です。この基本理念に対応した目標が「**住生活基本計画**」に掲げられています。

板書 **住生活基本計画**

【目標１】
「新たな日常」やＤＸ（デジタルトランスフォーメーション：デジタル技術の導入による生活やビジネスの変革のこと）の進展等に対応した新しい住まい方の実現

【目標2】
頻発・激甚化する災害新ステージにおける安全な住宅・住宅地の形成と被災者の住まいの確保

【目標3】
子どもを産み育てやすい住まいの実現

【目標4】
多様な世代が支え合い、高齢者等が健康で安心して暮らせるコミュニティの形成とまちづくり

【目標5】
住宅確保要配慮者が安心して暮らせるセーフティネット機能の整備

【目標6】
脱炭素社会に向けた住宅循環システムの構築と良質な住宅ストックの形成

【目標7】
空き家の状況に応じた適切な管理・除却・利活用の一体的推進

【目標8】
居住者の利便性や豊かさを向上させる住生活産業の発展

5 消費者契約法

立場の弱い消費者を守る法律だよ

1 消費者契約法とは

消費者契約法は、事業者**と消費者との間で締結される契約**（消費者契約といいます）に適用される法律です。事業者と消費者とでは、契約に関する情報の量や質、交渉力等に大きな差があるため、消費者が不利な契約を締結させられてしまうおそれがあります。そこで、消費者保護のために、**契約の取消し**や**不当条項の無効等**を定めています。

2　事業者と消費者

消費者契約法における事業者と消費者は以下のようになります。

事業者	①法人その他の団体 ②事業として・事業のために契約の当事者となる個人（個人事業主） ⚠個人である賃貸物件の貸主は事業者に該当する
消費者	個人（事業として・事業のために契約の当事者となる個人は除く） ⚠居住目的で物件を借りる個人の借主は消費者に該当する

3　契約の取消し

消費者契約法では、以下の場合に消費者契約を取り消せるとしています。

①重要事項について事実と異なる内容を告げられた ②重要事項について消費者の利益となる旨を告げ、かつ、消費者に不利益となる事実を故意に告げられなかった	その結果、誤認して契約した

ひとこと

例えば、賃貸物件の南隣にマンションが建設されることを知りながら「陽当たり良好」とか「静か」と言って販売したり、前借主が室内で自殺したことを告げずに契約した場合は、取り消せる可能性があります。

4　不当条項の無効

消費者契約法では、次のような消費者に不利益をもたらす条項について無効としています。

①損害賠償の予定や違約金の合算額が年 14.6%を超える条項（超過部分が無効）
②事業者の損害賠償責任を全部免除する条項
③事業者の損害賠償責任の一部を免除する条項（事業者の故意・重過失がある場合に限る）
④消費者の解除権を放棄させる条項
⑤事業者に生じる平均的な損害額を超える損害賠償の予定や違約金の条項（超過部分が無効）

6 障害を理由とする差別の解消の推進に関する法律

不当な差別は禁止されるよ

障害を理由とする差別の解消の推進に関する法律は、障害を理由とする差別の解消を推進することにより、全ての国民が障害の有無によって分け隔てられることなく、相互に人格と個性を尊重し合いながら共生する社会の実現を目指すものです。

事業者は、その事業を行うに当たり、障害者から**現に社会的障壁の除去を必要としている旨の意思の表明**があった場合、その**実施に伴う負担が過重でないときは**、障害者の権利利益を侵害することとならないよう、当該障害者の性別、年齢および障害侵害することとならないよう、当該障害者の性別、年齢および障害の状態に応じて、社会的障壁の除去の実施について必要かつ**合理的な配慮を**しなければなりません。

賃貸住宅標準契約書等

このSectionで学ぶこと

賃貸不動産経営では、貸主・借主間で締結する**賃貸借契約**や、貸主・賃貸住宅管理業者間で締結する**管理受託契約**等、さまざまな契約をすることになります。しかし、一般の人は契約内容が適切かどうか判断することが困難です。そこで、国土交通省が各種契約のひな形を作成してくれています。

1 賃貸住宅標準契約書

住宅の賃貸借契約のひな形だよ

賃貸住宅標準契約書は、貸主と借主との**住宅の賃貸借契約**のトラブルの未然防止のため、国土交通省が作成したひな形です。賃貸住宅標準契約書には、以下の特徴があります。

板書 賃貸住宅標準契約書の特徴

①1ヵ月に満たない期間の賃料は、1ヵ月を30日として日割計算した額とする

②借主は、本契約から生じる債務の担保として、敷金を貸主に交付する

⚠更新料や権利金については**定められていない**

③**借主**は、貸主に対して少なくとも**30日**前に解約の申入れを行うことにより、本契約を解約することができる

⚠貸主からの解約申入れはできない

④連帯保証人（保証業者ではない）の負担は、**極度額**を限度とする

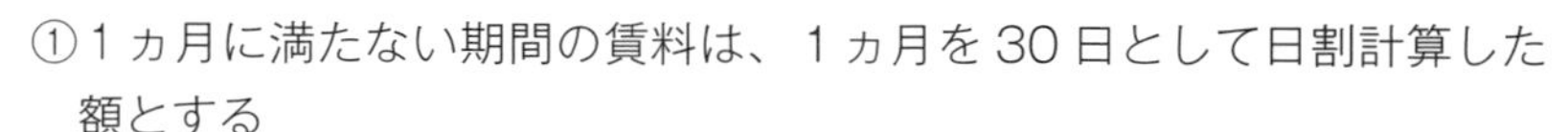

2 賃貸住宅標準管理受託契約書

賃貸物件の管理を引き受ける契約のひな形だよ

賃貸住宅標準管理受託契約書は、貸主と賃貸住宅管理業者との**管理受託契約**のトラブルの未然防止のため、国土交通省が作成したひな形です。賃貸住宅標準管理受託契約書には、以下の特徴があります。

板書 賃貸住宅標準管理受託契約書の特徴

①**委託者**（物件の貸主）は、報酬のほか賃貸住宅管理業者が管理業務を実施するのに伴い、必要となる費用を**負担する**

②賃貸住宅管理業者は、入居者から受領した家賃、敷金、共益費その他の金銭について、委託者に引き渡すまで、自己の固有財産および他の委託者の財産と**分別して管理**しなければならない

③賃貸住宅管理業者は、委託者と合意に基づき定めた期日に、合意した頻度に基づき定期に、委託者に対し、**管理業務に関する報告**をする

④賃貸住宅管理業者は、物件について管理受託契約を締結したときは、**入居者**に対し、遅滞なく、管理業務の内容・実施方法および賃貸住宅管理業者の連絡先を記載した書面または電磁的方法により通知する

■ **賃貸住宅標準契約書と賃貸住宅標準管理受託契約書**

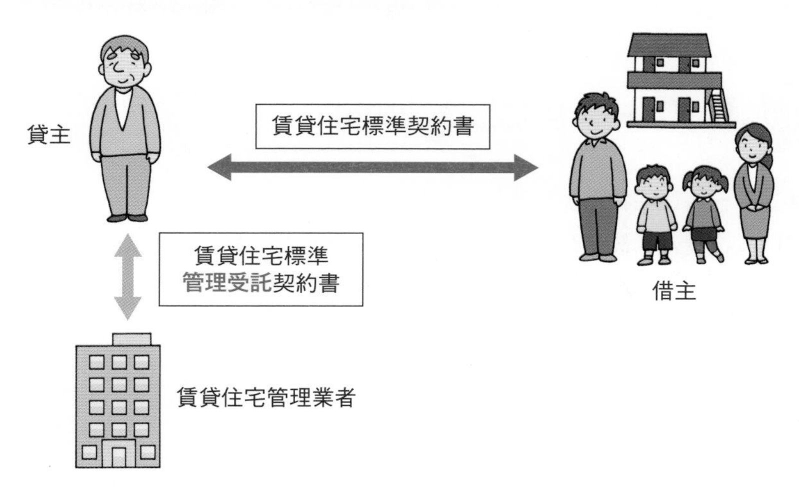

3 特定賃貸借標準契約書

マスターリース契約のひな形だよ

特定賃貸借標準契約書は、貸主と借主である特定転貸事業者との**特定賃貸借契約**（マスターリース契約）のトラブルの未然防止のため、国土交通省が作成したひな形です。特定賃貸借標準契約書には、以下の特徴があります。

板書 特定賃貸借標準契約書の特徴

①特定転貸事業者は、専ら住宅として使用することを目的として本物件を転貸するものとする

⚠貸主は、特定転貸事業者が本物件を借り受け、これを専ら住宅として使用することを目的として第三者に転貸することを承諾する

②特定転貸事業者は、支払免責期間（**フリーレント期間**）においては家賃支払義務を負わない

③貸主は、転貸の条件に従い特定転貸事業者が本物件を転貸することを承諾する

⚠特定転貸事業者は、反社会的勢力に本物件を転貸してはならない

④特定賃貸借契約が終了した場合には、貸主は、転貸借契約における特定転貸事業者の転貸人の地位を当然に承継する

4 サブリース住宅標準契約書

転貸人と転借人との間の契約のひな形だよ

サブリース住宅標準契約書は、入居者と特定転貸事業者・オーナーとの間における紛争の未然防止を図るため、国土交通省において作成した、入居者（転借人）と特定転貸事業者（転貸人）との間の**転貸借契約**（サブリース契約）における契約書のひな形です。サブリース住宅標準契約書には、次のような特徴があります。

板書 サブリース住宅標準契約書の特徴

①借主は、貸主（特定転貸事業者）に対して少なくとも**30日**前に解約の申入れを行うことにより、本契約を解約することができる

②貸主と建物の所有者との間の本物件に関する賃貸借契約が終了した場合には、貸主は建物の所有者に対し、本契約における貸主の地位を当然に承継する

③貸主が建物の所有者に対し、本契約における貸主の地位を承継する場合、貸主は借主および連帯保証人に対し直ちに**通知**するものとし、貸主は、借主から交付されている敷金、賃貸借契約書、その他地位の承継に際し必要な書類を建物の所有者に引き渡すものとする

■ 特定賃貸借標準契約書とサブリース住宅標準契約書

CHAPTER3 過去問チェック！

問1 Sec.1 3

貸主が行うべき雨漏りの修繕を借主の費用負担で行った場合、借主は賃貸借契約の終了時に限り、支出額相当の費用の償還を請求できる。 (R元)

問2 Sec.2 3

普通建物賃貸借契約（定期建物賃貸借以外の賃貸借契約をいう。）において、一定期間、賃料を減額しない旨の特約がある場合であっても、借主は、当該期間中、賃料の減額を請求することができる。 (H27)

問3 Sec.3 2

賃貸借契約が終了した場合、敷金の返還と明渡しは、敷金の返還が先履行となる。

(R元)

問4 Sec.4 2

賃貸借契約が法定更新された場合、当事者間で別途、契約期間の定めをしない限り、期間の定めのない賃貸借になる。 (H29)

問5 Sec.5 4

所有者は、管理業者との間の原賃貸借契約を管理業者の賃料不払いを理由に解除したときは、転借人（入居者）に対して明渡しを請求することができる。 (R元)

問6 Sec.7 1

定期建物賃貸借契約の事前説明は、「更新がなく、期間の満了により契約が終了する」旨を記載した書面を交付または電磁的方法により提供することで足り、別途、口頭で説明する必要はない。 (H28)

問7 Sec.8 1

賃貸住宅管理業者は、賃貸人が満18歳である場合、誰も立ち会わせずに管理受託契約重要事項を説明することができる。

問8 Sec.9 2

連帯保証人は、貸主から保証債務の履行を求められたときに、まず借主に催告すべき旨を請求することができない。　(H29)

問9 Sec.11 3

賃貸住宅管理業者であるＡが、賃貸人であるＢとの管理受託契約に基づき、管理業務として建物の全体に及ぶ大規模な修繕をしたときに引き渡された建物が契約の内容に適合しないものである場合、Ｂは、Ａに対し、目的物の修補を請求することができる。　(R 4)

問10 Sec.12 1

特定の個人を識別することができる情報のうち、氏名は個人情報保護法による個人情報に該当するが、運転免許証番号やマイナンバーのような符号は、個人情報保護法による個人情報に該当しない。　(R 元)

問11 Sec.13 1

終身建物賃貸借契約の対象となる賃貸住宅は、高齢者住まい法が定めるバリアフリー化の基準を満たす必要がある。　(R 4)

問12 Sec.13 3

セーフティネット住宅の貸主は、バリアフリー等の改修費に対し、国や地方公共団体等による経済的支援を受けることができる。　(R 2)

問13 Sec.14 1

賃貸住宅標準契約書では、更新料の授受に関する条項が設けられている。　(H27)

解答

問1 × 雨漏りの修繕費用等の必要費については、借主は直ちに請求できる。

問2 ○

問3 × 明渡しが先履行となる。

問4 ○

問5 ○

問6 × 口頭での説明も必要である。

問7 ○

問8 ○

問9 ○

問10 × 運転免許証番号やマイナンバーのような符号も個人情報保護法による個人情報に該当する。

問11 ○

問12 ○

問13 × 更新料の授受については全国的な慣行ではないため定められていない。

CHAPTER 4
建物・設備

Sec. 1 建築構造等

Sec. 2 建築基準法

Sec. 3 建築設備

Sec. 4 維持保全

Section 1 建築構造等

このSectionで学ぶこと

賃貸住宅には、その材料等によりさまざまな構造があります。例えば、地震に備えるため、耐震構造にすることもあります。これら構造の特徴をおさえることが、賃貸住宅を適切に維持保全する上で重要となります。

1 建築構造の種類

木造から鉄骨鉄筋コンクリート造までさまざまな種類があるよ

建物の構造には、使用する材料によって、次のような種類があります。

	メリット	デメリット
①木造	• 建物の重量（自重）が小さい • 施工しやすい • 設計の自由度が高い • 建築コストが安い	防火・耐火性能に劣る
②鉄骨造（S造）	• 鋼材の加工がしやすい • 工期が短い • 工事の省力化が可能 • 耐震性に優れる	• 風・地震等の**揺れの影響を受けやすい** • **歩行振動に注意が必要** • 外壁の目地（継ぎ目）部分のメンテナンスが必要

③**鉄筋コンクリート造（RC造）**	• 耐火・耐久性に富む • 地震時の揺れは鉄骨造より小さい • 設計の自由度が高い • 遮音性・断熱性が高い	• 自重が大きいため、地震の影響が**鉄骨造よりも大** • 地盤改良や杭基礎が必要になることがある • 工期が長い • 材料管理や施工により品質と強度にばらつきが多い • 解体がしにくい
④**鉄骨鉄筋コンクリート造（SRC造）**	• 耐震性に優れる • 鉄骨構造より地震や風による揺れや歩行時の振動が少なく、遮音性が高い • 高層建築物に向く	• 「③鉄筋コンクリート造」と同様、かつ、鉄筋コンクリート造より工期が長く、工事費がかかり、解体がしにくい • **施工の難易度が高い**

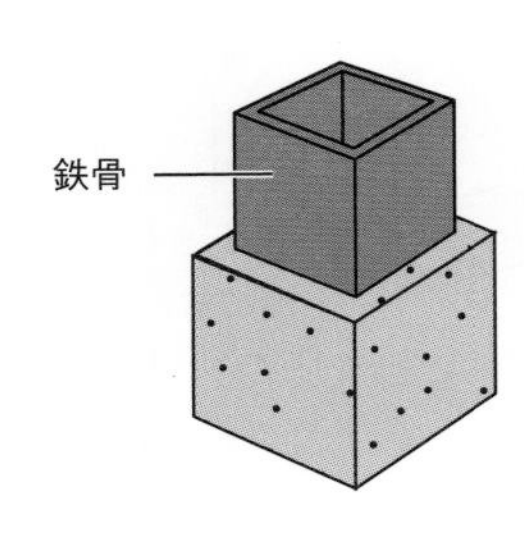

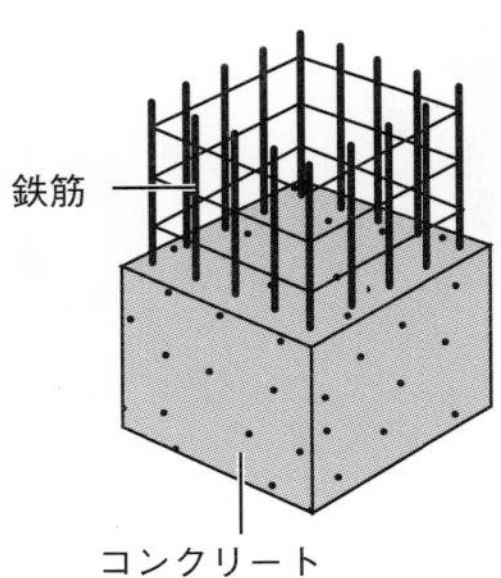

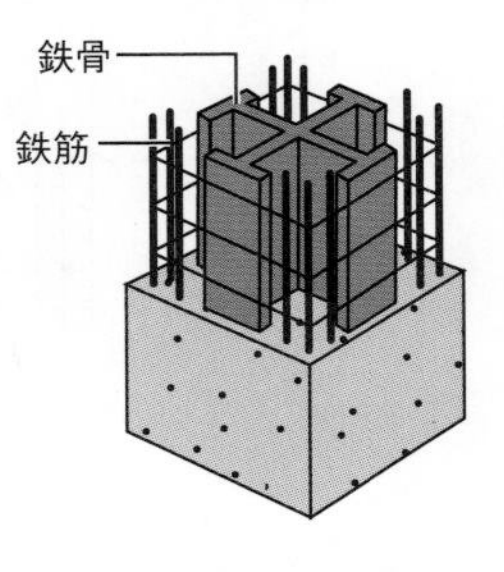

2 ラーメン構造と壁式構造

柱の梁で建物を支えるか
壁で支えるかの違いがあるよ

建築物には、建築部材同士の組合せ（**構造形式**）による分類があります。ここでは、一般的な賃貸住宅に用いられる**ラーメン構造**と**壁式構造**を見てみましょう。

①ラーメン構造	• 柱と梁を剛接合して建物の**骨組み**（「ラーメン」とはフレーム・枠のこと）を構成し、荷重や外力に対応する • 建物の強度を高めるために、ラーメン構造の柱と梁の中に壁を組み込んで「耐震壁（耐力壁（たいりょくへき））」を設ける場合もある
②壁式構造	• 柱・梁を設けず、壁体や床板など平面的な構造体のみで構成する • 壁・床を一体にして**箱状の構造体**を構成し、荷重や外力に対応する • プレキャストコンクリートを用いた「壁式プレキャスト鉄筋コンクリート造」もある

①ラーメン構造

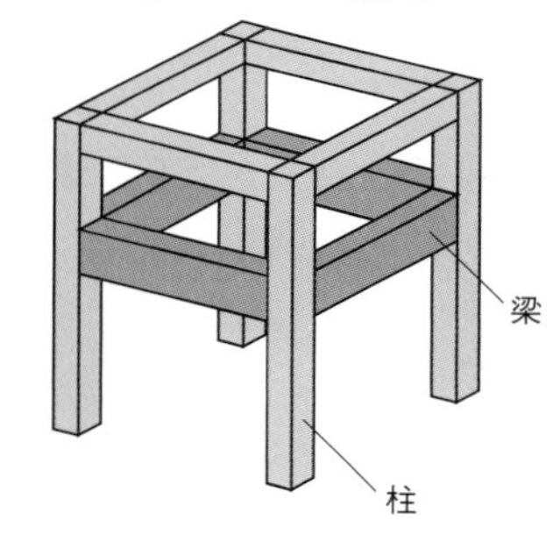

②壁式構造

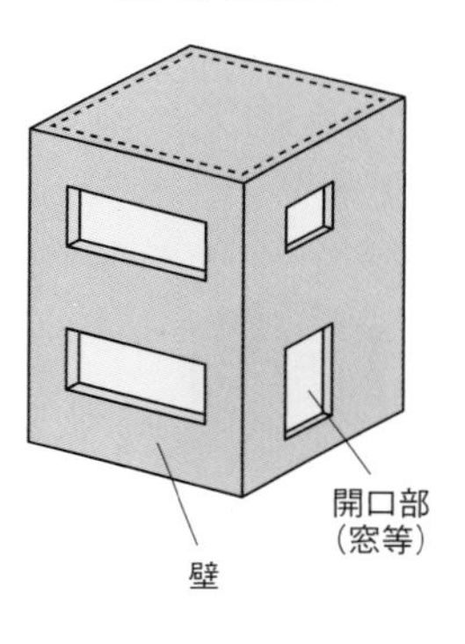

ひとこと

プレキャストコンクリート**工法**とは、工場でコンクリートの壁や床をあらかじめ製造して、現場で組み立てる工法をいい、現在、建設工法の合理化を目標として、公営住宅をはじめマンションにも採用されています。

3 木造住宅の材料・工法による分類と特徴

骨組みを作る工法や壁・床で箱状にする工法があるよ

木造住宅には、以下の工法があります。

	定義	メリット	デメリット
①木造在来(ざいらい)工法	柱・梁などの**軸組み**(骨組み)で主要構造を構成する工法	**自重が小さく施工しやすい**ため、設計の自由度が高い	防火・耐火性能に劣る
②ツーバイフォー工法	枠組みに構造用合板を張った壁・床で構成された**壁式構造**の工法	構造安全耐力、居住性能(断熱・保温)に**優れている**	気密性が高く、建物の内部に湿気がたまりやすい
③プレハブ工法	構成部材を事前に**工場製作**し、現場では組立てだけを行う工法	• コストが安定している(現場管理費が安い) • 工期の短縮や省力化ができる	**規格化された部材**を組み合わせるため、設計の自由度が**低い**
④ＣＬＴ工法	繊維方向で直交するように板を交互に張り合わせたパネルを用いて床、壁、天井(屋根)を構成する工法	• 耐震性、断熱性、遮炎性に優れている • 材料寸法の安定性が高い	• 価格が高い • 雨水浸入を妨ぐことができない ⇒外部仕上げが必要

4 耐震構造等の種類

地震に強い構造だよ

耐震構造等には、以下の種類があります。

	特徴	メリット	デメリット
①耐震構造	地震力に耐えるように建物の**剛性**（建物の変形のしにくさ）を高めて設計された構造形式	建物の倒壊する可能性が低い	地震の揺れが建物に直接伝わるため、**上の階ほど揺れが大きい**
②免震構造	建物の基礎と上部構造の間に、積層ゴムや摩擦係数の小さいアイソレーター（滑り支承）を設けた**免震装置**を設置して、地震力に対して建物がゆっくりと水平移動し、建物の**変形を少なくする**構造形式	建物の耐震性能が高まるだけでなく、家具の転倒や非構造部材の破壊が少なくなる	免震装置の維持管理が必要になる
③制振（震）構造	建物の骨組み等に**制振装置**（ダンパー）を設けて、地震のエネルギーを吸収することにより、建物が負担する地震力を低減し、**破壊されにくくする**構造形式	**免震構造に比べて低コスト**	免震構造に比べて、建物に生じる加速度が低減する効果は期待できない

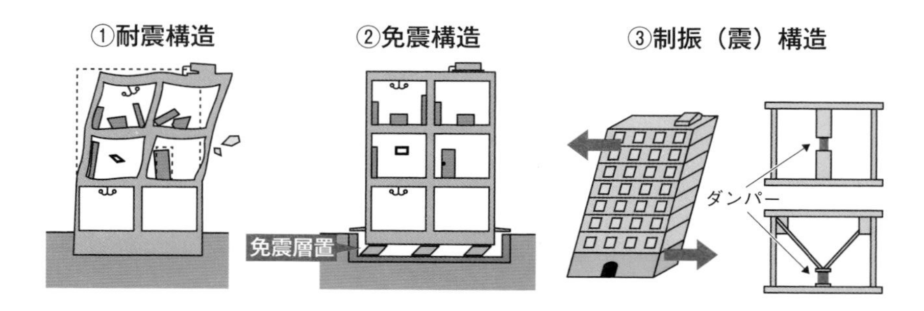

Section 2 建築基準法

重要度 S

このSectionで学ぶこと

建築基準法では、住宅に関して、居住者が安全で衛生的に生活できるように、**採光や換気、廊下の幅や階段の寸法**等について一定の基準を定めています。

1 居室に関する規定

居室の衛生環境を守るための規定だよ

1 採光と換気

居室の採光と換気のために、次のように開口部（窓等）の面積が定められています。

板書 採光と換気のための開口部の面積 

居室の採光	• 住宅の居室には、採光に有効な開口部を設けなければならない • 開口部は、住宅の居室では各室の床面積の **1/7 以上**の面積が必要 ⚠一定の照明設備等を設けた場合は、1/7 ～ **1/10** の範囲内で国土交通大臣が定める割合以上の面積が必要

居室の換気	• 居室の換気には、換気に有効な開口部を設け、その開口部の面積は、各室の床面積の **1/20 以上**が必要 • 換気に有効な部分の面積が 1 /20 未満の居室や、キッチン等の火を使用する部屋では、**換気設備**を設けなければならない

2 シックハウス症候群対策

建材に含まれるホルムアルデヒドや**揮発性有機化合物**（VOC）等が原因で、倦怠感・めまい・頭痛等が生じることを**シックハウス症候群**といいます。建築基準法は、シックハウス症候群対策のため、次の規制を行っています。

板書 シックハウス規制

①クロルピリホス（シロアリ駆除の農薬）の使用禁止
②ホルムアルデヒド（建築用の接着剤等に含まれる化学物質）の使用制限
③機械換気設備の設置義務

⚠**居室では 0.5 回 /h**（毎時）以上、廊下や便所では 0.3 回 /h 以上の換気能力を有する「**24 時間換気設備**」が必要

ひとこと

0.5 回 / h の換気能力とは、1 時間に室内の空気の半分が新鮮なものに入れ替わる能力をいいます。

3 居室の天井の高さ

居室の天井の高さは 2.1 m以上でなければなりません。また、1つの部屋で天井の高さの異なる部分がある場合は、その平均の高さとなります。

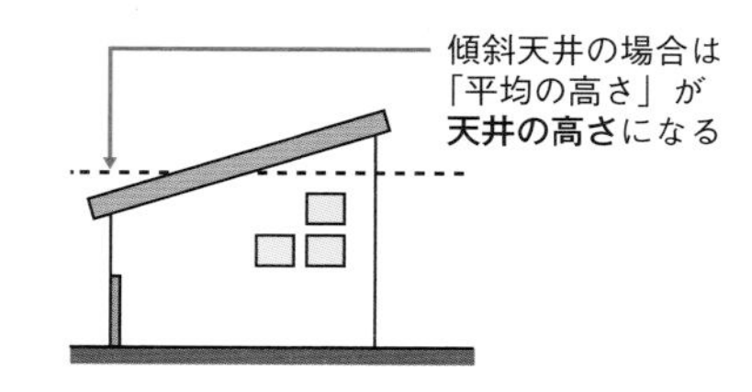

4 小屋裏物置（ロフト）の要件

ロフトは、以下の要件を満たすと、床面積に算入されません。

①天井高は1.4 m以下であること
②直下階の床面積の2分の1未満の広さであること
③用途は**収納**等とし、居室として**用いないこと**

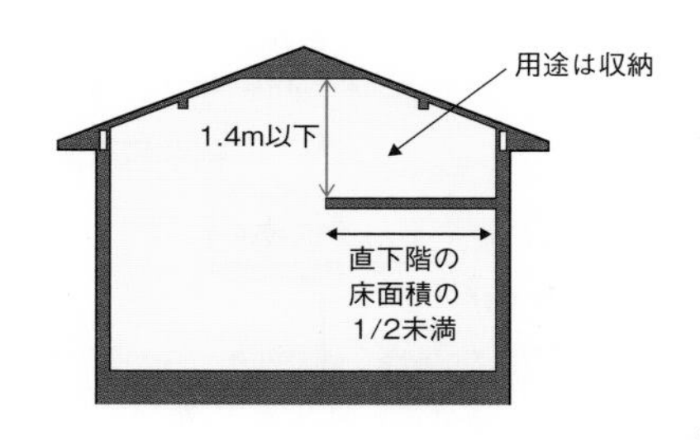

2 アスベスト（石綿）

人体に有害なアスベストは使用禁止だよ

建築材料としてアスベスト（石綿）を使用することや、アスベストが含まれる建築材料を使用することは禁止されています。吹付けロックウールで、その含有する石綿の重量が、建築材料の重量の0.1%を超えるものをあらかじめ添加した建築材料も使用禁止です。

3 避難に関する規定

災害時に安全に避難するための規定だよ

1 幅・けあげ・踏み面（づら）の寸法

共同住宅では、階段の寸法に関して、次のような制限が課せられています。

階段の種類	踊り場の踏み幅	けあげ	踏み面
直上階の床面積の合計が200㎡を超える地上階	120㎝以上 （高さ4m以内ごと）	20㎝以下	24㎝以上

なお、回り階段における踏み面は、踏み面の狭（せま）いほうの端から30cmの位置において測ります。

■ けあげと踏み面

踏み面
（24cm以上）
けあげ
（20cm以下）

■ 回り階段における踏み面

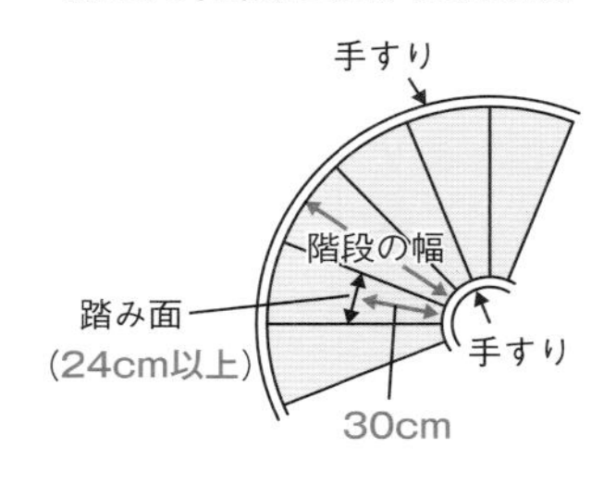

2 手すり

高さ１ｍを超える階段には、手すりの設置が必要です。また、手すりが設けられていない側には側壁等を設けなければなりません。

手すりを設けた場合の階段の幅については、10cmまでの手すりについては、ないものとみなして階段の幅を測ることができます。

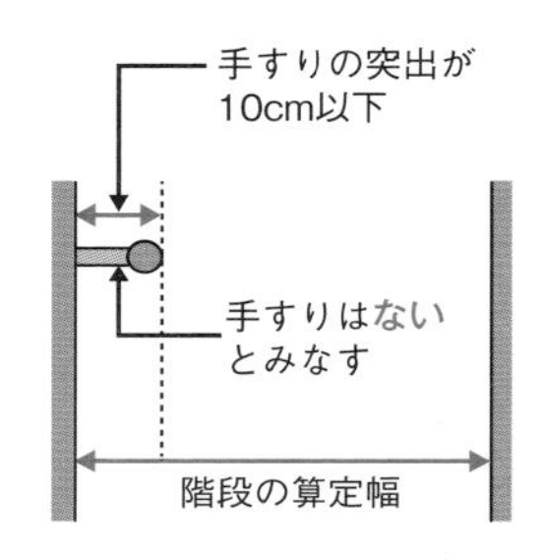

3 廊下の幅

共同住宅の共用廊下については、次のような廊下の幅の制限があります。

用途・規模	両側に居室がある場合	「片側廊下」の場合
共同住宅の共用廊下 （その階の住戸や住室の床面積が 100㎡を超える場合）	1.6 m以上	1.2m 以上

■ 両側に居室がある場合

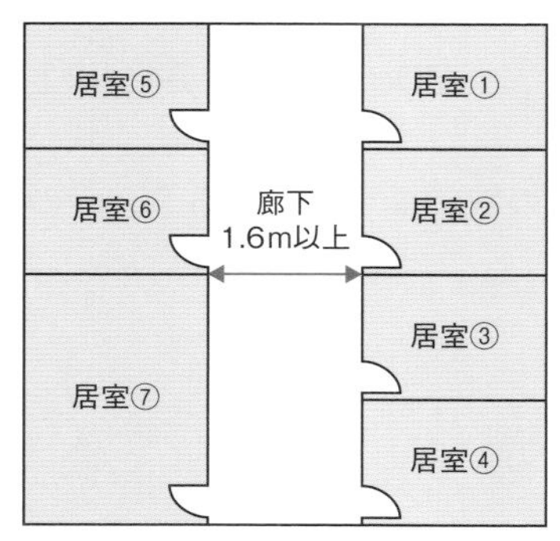

■「片側廊下」の場合

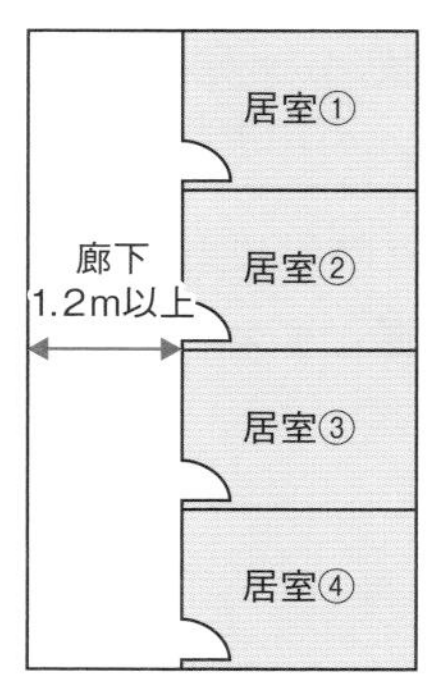

建築設備

このSectionで学ぶこと

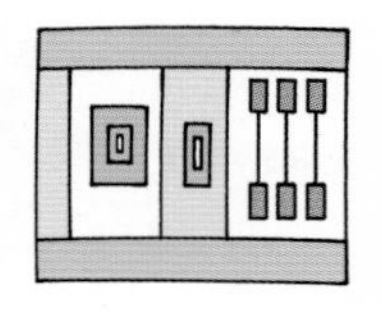

賃貸住宅には、水道・電気・ガス・消防設備等のさまざまな設備が使用されています。これらを適切に点検・整備することは、居住者が安全・快適に生活する上で必須となります。

1 給水設備

給水管や受水槽等の水を供給する設備だよ

1 給水方式

給水方式には、次のような種類があります。

方式	特徴
①水道直結直圧方式	水道本管から分岐した給水管から各住戸へ直接給水し、受水槽やポンプを使用しない方式
②増圧直結方式	水道本管から分岐して引き込んだ上水を増圧給水ポンプで各住戸へ直接給水する方式
③高置水槽方式（重力方式）	水道本管から分岐して引き込んだ上水をいったん受水槽に貯め、揚水ポンプによって屋上に設置された高置水槽に送水し、重力により各住戸へ給水する方式

④圧力タンク方式	水道本管から分岐して引き込んだ上水をいったん**受水槽**に貯め、その水を加圧ポンプで**圧力タンク**に給水し、圧力タンク内の空気を圧縮し、加圧して各住戸へ給水する方式
⑤加圧給水方式（ポンプ直送方式）	水道本管から分岐して引き込んだ上水をいったん**受水槽**に貯め、**加圧ポンプ**により加圧した水を直接、各住戸へ給水する方式

①水道直結直圧方式

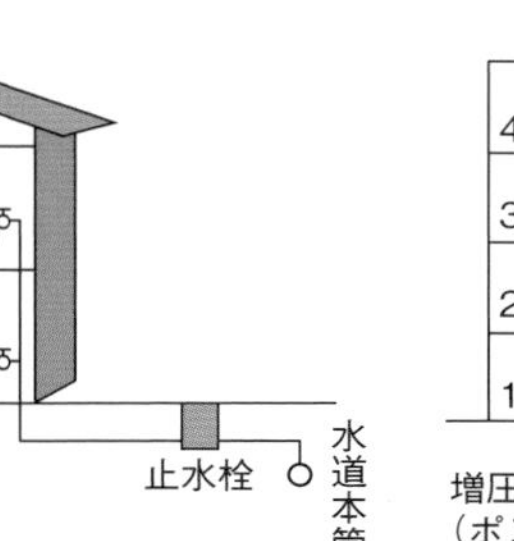

②増圧直結方式

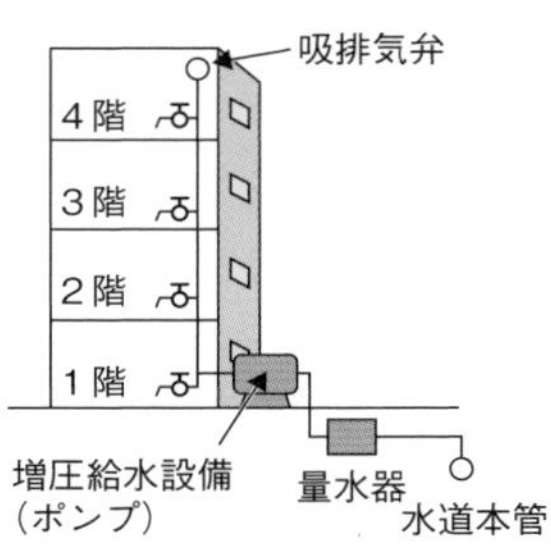

③高置水槽方式

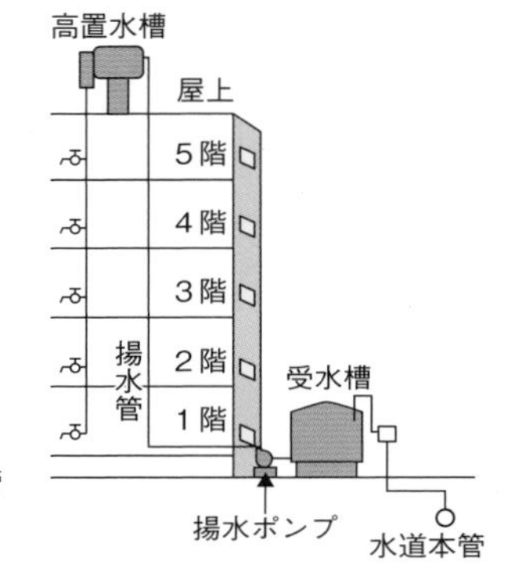

④圧力タンク方式

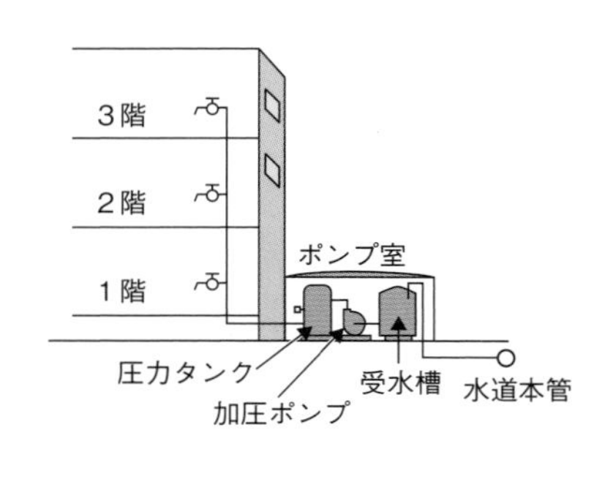

⑤加圧給水方式

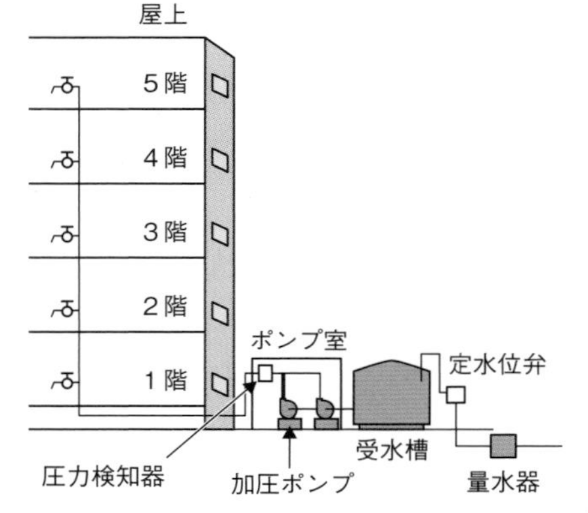

2　受水槽（貯水タンク）

受水槽（貯水タンク）とは、水をいったん貯めておく容器をいいます。

■受水槽（貯水タンク）

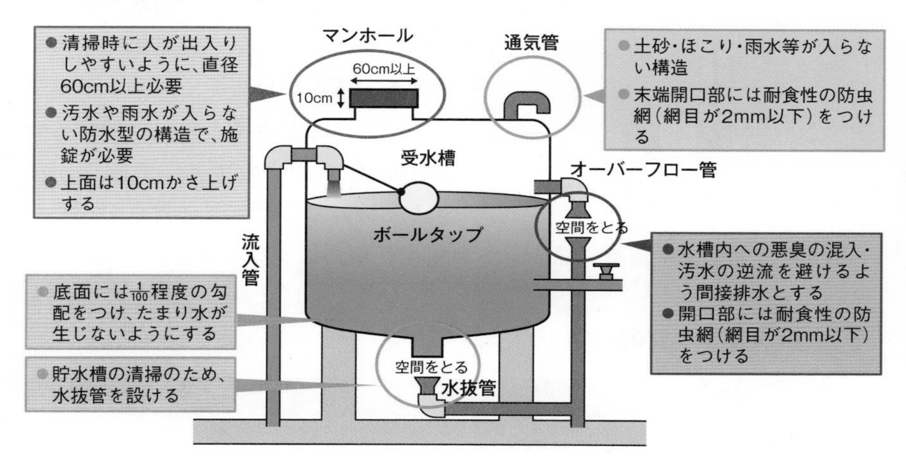

有効容量10㎥を超える受水槽を簡易専用水道といいますが、簡易専用水道では毎年1回検査が必要となります。

2　排水・通気設備

通気設備は排水の流れをスムーズにするための設備だよ

1　排水の種類

排水には、次の3種類があります。

①汚水……トイレからの排水
②雑排水…台所・浴室・洗面所・洗濯機等からの排水
③雨水

2 排水トラップ

❶ 排水トラップの役割

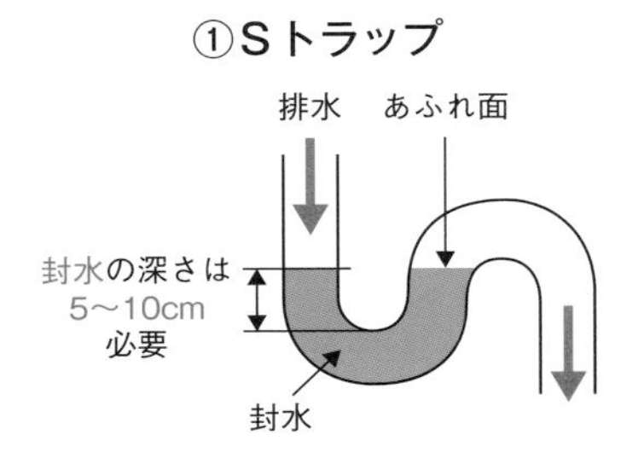

排水トラップとは、排水管を曲げる等の方法で水を封じること（**封水**）によって、排水管からの臭気や、害虫の侵入を防止する設備をいいます。排水トラップの封水の深さを**封水深**といい、通常**5cm**以上**10cm**以下が必要です。封水深が浅すぎると**破封**（トラップの封水がなくなる現象）しやすく、逆に深すぎると自浄作用がなくなります。

❷ 排水トラップの種類

種類	特徴
①Sトラップ	• 一般によく用いられる • 自己サイホン現象を**起こしやすい**
②Uトラップ	• 横走管の途中に設けられることが多いが、汚水の流動を妨げる原因になりやすい
③Pトラップ	• もっとも多く使用される • サイホン作用による「封水破壊」は**少ない** • 通気管を接続すれば封水は安定する
④ドラムトラップ	• **台所の流し**などに使用される • 封水の安定度は高い
⑤わんトラップ（ベルトラップ）	• 浴室等の**床排水**（排水管が床から接続される方式）や台所の流しなどに使用される • わんを取り外すとトラップ機能を失うなど欠点もある • 封水深の浅いものが多く、封水の安定度は低い

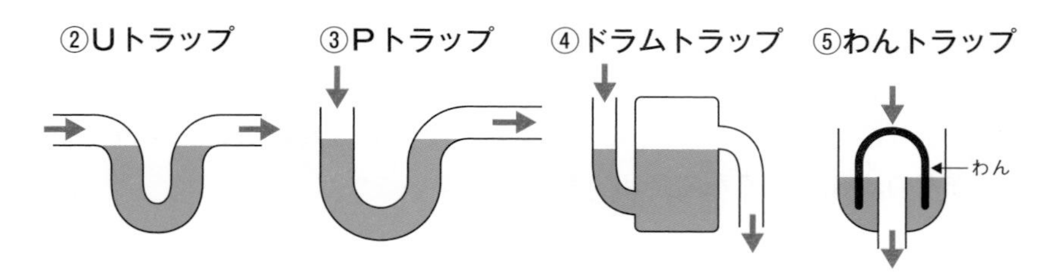

破封の主な原因は、次のとおりです。

①自己サイホン現象	• 多量の水が一気に排水されると配管内の水が満水となり、トラップ内の封水が**排水と一緒に排出**されてしまう現象 • Sトラップで起こりやすい
②吸い出し現象	満水の状態で排水立て管の上部から排水が流下すると、横枝管との連結部分付近において瞬間的に**負圧**（気圧が下がる）を生じ、トラップの封水が排水管側に**吸い出されてしまう**現象
③はね出し現象	排水立て管がすでに満水の状態のところに、さらに上から排水が落下してくると、**ピストン作用**によって横枝管との連結部分付近において**正圧**（気圧が高まる）が生じ、トラップの封水が室内側に押し出される現象
④蒸発	水を長時間流さない場合に、封水が蒸発して失われる現象
⑤毛細管現象	トラップのあふれ部に糸くず等が引っかかった場合に、毛細管現象によって封水が次第に吸い出されてしまう現象

❸ 二重トラップの禁止

1系統の排水管に対し、**2つ以上**の排水トラップを**直列に設置**することを「**二重トラップ**」といいますが、そのような設置は、トラップ間の排水の流れが悪くなるため、**禁止**されています。

3 通気設備

通気設備は、トラップ内の封水が破れる（破封する）のを防ぐとともに、排水管内の気圧と外圧の気圧差をできるだけ生じさせないようにして、排水の流れをスムーズにするための管です。

建物の高さや排水系統の合流形態等により、次の2種類に大別されます。

伸頂通気方式	排水立て管の**先端（頂部）を延長した伸頂通気管**を、屋上または最上階の外壁等の部分で大気に開口する方式
通気立て管方式	排水立て管に、最下層よりも低い位置で接続して**通気立て管**を立ち上げる方式

①伸頂通気方式

大気中に開放
屋根
伸頂通気管
掃除用流し
3階
掃除口
排水立て管
洗面器
2階
排水横枝管
1階
地階
排水横主管

②通気立て管方式

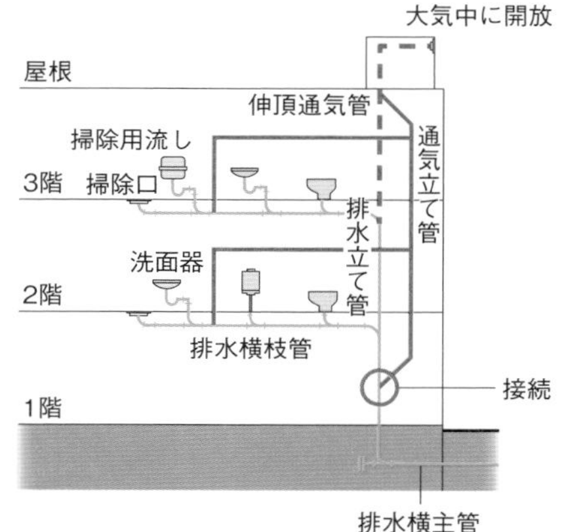

3 消防設備等

年２回の点検が必要だよ

1 防火管理者

収容人員（居住者）が50人以上の共同住宅の所有者等（管理権原者といいます）は、**防火管理者**を設置する必要があります。そして、管理権原者は、防火管理者に消防計画を作成させ、それに基づき、消火・通報・避難訓練の実施や火気の使用・取扱いに関する監督等をさせなければなりません。

2 消防設備の点検

消防設備の点検には、次の２種類があります。

種別	期間
①機器点検	6ヵ月ごとに1回
②総合点検	1年ごとに1回

また、非特定防火対象物（共同住宅）の所有者等は、①②の点検結果を、3年に１回、消防長・消防署長に報告する義務を負います。

3 住宅用防災警報器・住宅用防災報知設備

住宅用防災警報器・住宅用防災報知設備は、火災の発生を音声で知らせる設備で、その設置場所には、次のような**規制**があります。

設置義務者	住宅の所有者、管理者、居住者等
設置が必要な場所	就寝の用に供する**居室**、階段、廊下、台所
設置の免除	スプリンクラー設備や自動火災報知設備等が一定の基準に従い設置された場合、設置を**免除される**

■天井に設置する場合

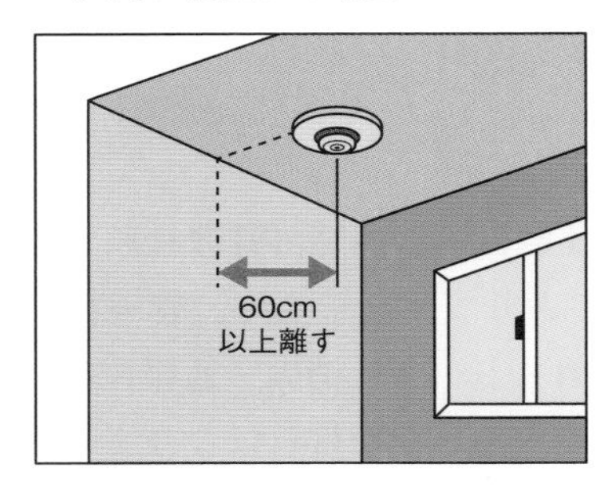

■壁に設置する場合

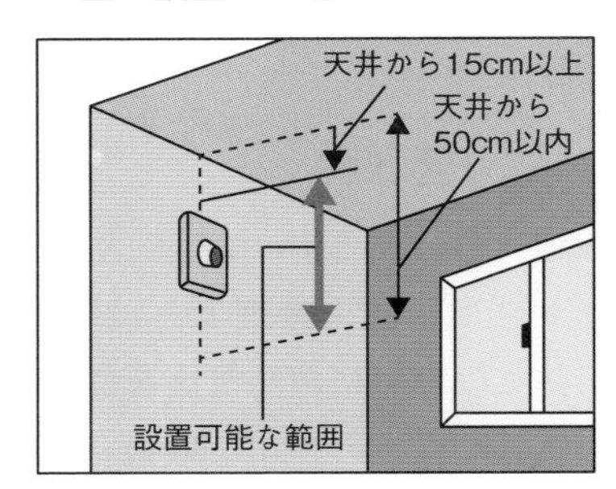

4 換気設備

窓だけでなく換気扇等で
換気をする方式があるよ

1 換気方式

換気方式は、自然換気方式と機械換気方式の2つに大別されます。

①自然換気	室内と室外の温度差による対流や風圧等、**自然の条件を利用**した換気方式
②機械換気	換気扇や送風機等の**機械を利用**して、**強制的に換気**する方式

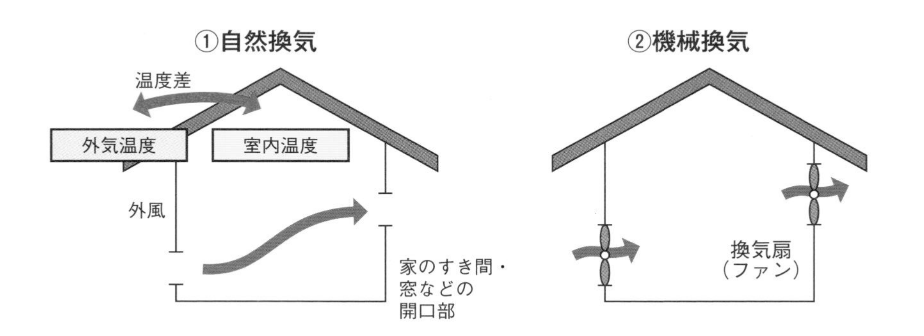

2 機械換気設備

シックハウス対策として、2003年7月より、原則として**新築住宅の居室**に**機械換気設備**の設置が**義務化**されました。機械換気設備は、機械の組合せにより、以下の3種類に分類されます。

第１種換気	**給気・排気ともに機械**を用いる方式。居室に用いられる熱交換型換気設備（セントラル換気方式の住宅等）、機械室、電気室等に採用される
第２種換気	**給気のみ機械**を用いる方式。室内へ清浄な空気を供給する必要性の高い製造工場等の限られた建物で採用される。室内が**正圧**（外部より気圧が高い状態）になるため、室外の空気が室内へ流入しない。室内の空気が汚染されている場合、汚染空気が気圧の低い他の部屋へ流出する可能性がある
第３種換気	**排気のみ機械**を用いる方式。室内が**負圧**（外部より気圧が低い状態）になるため、他の部屋へ汚染空気が流れ出ない。台所、浴室、便所、洗面所等のように、燃焼ガス、水蒸気、臭気等が発生する部屋に採用される

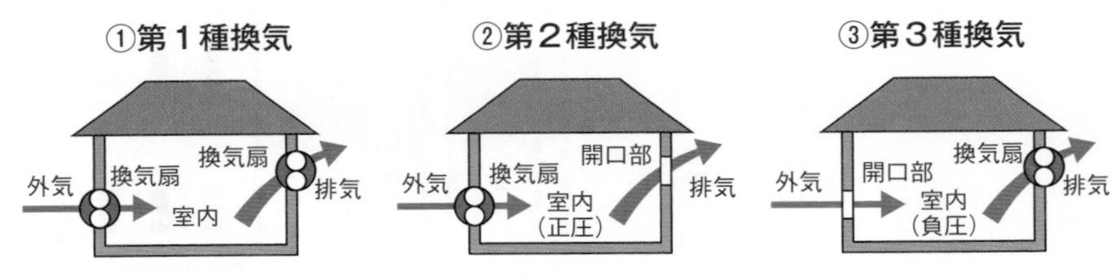

5 電気設備

200Vが使える単相３線式が最近の主流だよ

1 住戸内の電気設備

各住戸には、低圧で電気が供給されます。低圧での供給方式には、**単相３線式**（100V/200V）、または**単相２線式**（100V）があります。最近のエアコンやＩＨクッキングヒーター等は200Vを利用するため、単相３線式を利用するのが一般的です。

①単相３線式	３本の電線のうち中央の中性線と上または下の電圧線を利用すれば100V、中性線以外の上と下の電圧線を利用すれば**200V**が利用できるという方式
②単相２線式	電圧線と中性線の２本の線を利用する方式で、利用できるのは**100V**のみとなる

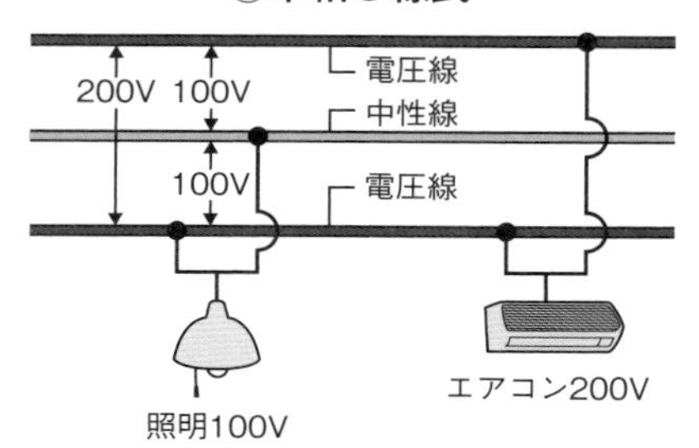

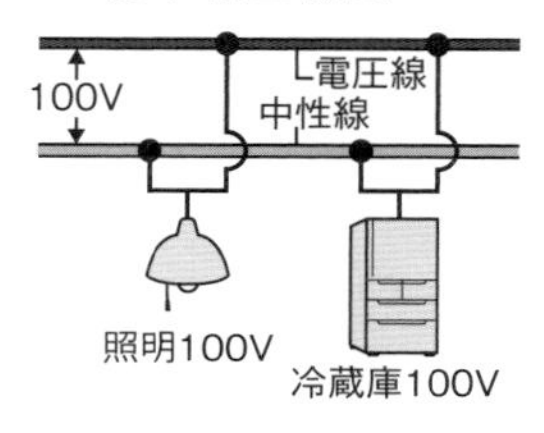

2　住宅用分電盤

住宅用分電盤は名前の通り、電気を分ける役割を持つ装置です。

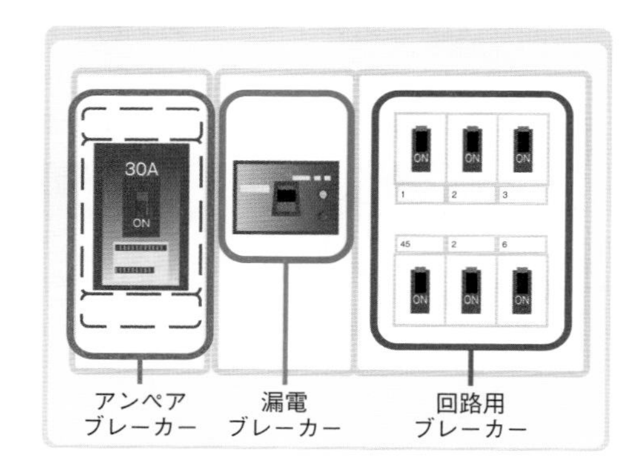

板書　住宅用分電盤の各部位の役割

①**アンペアブレーカー**…需要者が契約電流値を超えて電気を使用した際に自動的に遮断する装置

②**漏電ブレーカー**…漏電による感電事故や火災が発生する前に、電路の遮断を行う装置

③**回路用ブレーカー（安全ブレーカー）**…分電盤から各部屋へ続く回路毎に取り付けられているもので、主にコード短絡の保護を目的とした小型の配線用遮断器

6 給湯設備

局所給湯方式が一般的だよ

1 給湯方式の種類

給湯方式には、以下のものがあります。

飲用給湯方式	ガスや電気を熱源とする**貯湯式給湯機**を必要箇所に**個別に設置する**方式。給湯器に直接湯栓を付けた貯湯式給湯機を使用する
局所給湯方式	**給湯系統ごと**に加熱装置を設けて給湯する方式。マンション等の壁掛け式ガス給湯器等が代表例
中央（セントラル）給湯方式	建物の屋上や地下の機械室にボイラー等と**貯湯タンク**を設け、建物各所へ配管で供給する方式

2 給湯器の性能

ガス給湯器の出湯能力は**号数**で表されます。号数は、「**水温＋25℃のお湯を1分間に何ℓ出湯できるか**」の数値になります。

7 昇降機（しょうこうき）（エレベーター）設備

安全のため保持点検が必要だよ

1 エレベーターの種類

エレベーターでよく利用される駆動方式は、次の2種類です。

①ロープ式エレベーター	• 最上階に機械室を設け、その内部に設置した巻上機を介してつり合いおもりとロープとのバランスをとり、かごを上下させる駆動方式 • 巻上機の小型化により、機械室が不要となったマシンルームレス（機械室なし）タイプが、近年の主流である
②油圧式エレベーター	エレベーターシャフト（昇降路）の下部に機械室を設けて、パワーユニットで油圧シリンダーに油を注入してかごを昇降させる駆動方式

①ロープ式エレベーター

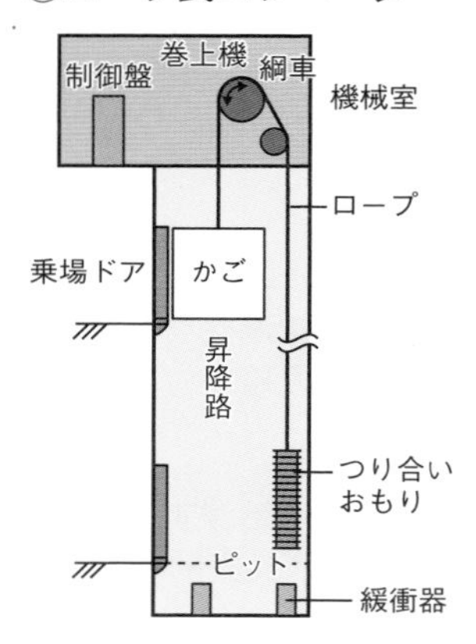

②油圧式エレベーター

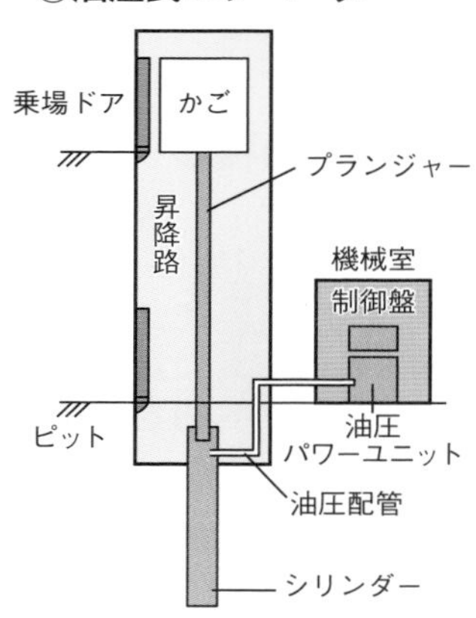

2 エレベーターの保守契約

エレベーターの保守契約は、おおむね月1回もしくは2回の保守点検の実施を義務づけられており、次の2方式があります。

	内容
① POG（Parts Oil Grease）契約	• 消耗部品付き契約のこと • 定期点検や契約範囲内の消耗品の交換は含まれるが、それ以外の部品の取替えや修理は別料金になる
②フルメンテナンス契約	• 消耗品に加えて、それ以外の高額部品の取替えや機器の修理を現況に応じて行うことを含む内容となる • 月々の契約は割高

フルメンテナンス契約でも、乗降扉や三方枠の塗装、かご内の床・壁・天井の修理、新たな機能による改造や新規取替えは、契約内容に含まれません。

維持保全

このSectionで学ぶこと

賃貸住宅および設備は、年数の経過により劣化して不具合が出てきます。居住者が安心して暮らすためには、日頃から**メンテナンス**を行い、不具合箇所を**修繕**する必要があります。

1 予防保全と事後保全

建物や設備は定期的な保全が必要だよ

維持保全は、「**予防保全**」と「**事後保全**」の2つに分けることができます。

①予防保全	• 点検や保守により故障の前兆をとらえ、あらかじめ適切な処置を施すこと • 賃貸物件の維持・保全管理においては、事後的な対応ではなく「**予防保全**」が**重要**
②事後保全	事故や不具合が生じた**後**に、修繕等を行うこと

2 定期調査・報告

建築士等の有資格者に調査をしてもらうよ

共同住宅等の不特定多数の人が利用する建築物（**特定建築物**）では、構造の老朽化、避難設備の不備、建築設備の作動不良などにより、大きな事故や災害が発生する恐れがあります。こうした事故等を未然に防ぎ、建築物等の安全性や適法性を確保するために、建築基準法12条においては、特定建築物等の所有者または管理者（所有者と管理者が異なる場合は管理者）には、定期的にその状況を一級建築士等の**有資格者に調査・検査**させて、その結果を決められた報告様式により特定行政庁に報告することが義務付けられています。

	調査・検査対象	報告回数	調査・検査資格者
①特定建築物定期調査	① 敷地 ② 構造 ③ 防火 ④ 避難 の４種類	６ヵ月～３年に１回（特定行政庁が定める時期）	一級建築士 二級建築士 **特定建築物調査員**
②防火設備定期検査	防火戸・防火シャッター等の防火設備	６ヵ月～１年に１回（特定行政庁が定める時期）	一級建築士 二級建築士 **防火設備検査員**
③建築設備定期検査	換気設備・排煙設備・非常用照明設備・給排水設備等		一級建築士 二級建築士 **建築設備検査員**
④昇降機等定期検査	エレベーター・機械式駐車場等		一級建築士 二級建築士 **昇降機等検査員**

3 計画修繕

建物の修繕は計画的に行う必要があるよ

1 修繕計画

建物を適切に維持・管理していくためには、修繕計画による**的確な修繕の実施**が必要です。中・長期的に考えれば、**修繕計画**による的確な修繕の実施により、借主の建物に対する好感度が上がり、結果的に**入居率**も上がって、賃貸経営の**収支上プラス**に働くと考えられます。

2 計画修繕の実施

修繕計画に基づいた計画修繕の実施にあたっては、まず、計画された修繕部位を現場で**点検・調査**した上で、他に不具合が生じている箇所がないかどうかも併せて点検するなど、**全体状況を把握**することが重要です。また、修繕工事は、日常生活の中で行われる工事のため、騒音や振動、ゴミやホコリの発生で**借主などに迷惑をかける**という問題もあり、配慮が必要です。

3 計画修繕の費用

計画修繕を着実に実施していくためには、資金的な裏付けを得ることが必要であり、長期修繕計画を策定して、維持管理コストを試算し、**維持管理費用**を賃貸不動産経営の中に見込まなければなりません。

4 修繕履歴等

過去に実施した修繕や点検の記録だよ

1 修繕履歴

修繕履歴とは、修繕や更新などを含めた建物の**建築部位**や**設備機器**に関する、工事履歴のことです。適切に計画修繕が実施されているか否かを検証する等の目的をもって作成されます。修繕履歴は、**次の修繕を企画する**上で重要な情報となります。

2 漏水の原因箇所

① 雨水による漏水

雨漏りの発生原因は多岐にわたり、発生源を特定することが困難な場合が多くあります。その内容を分類すると、次のようになります。

	原因箇所	原因
最上階	屋上や屋根・庇（ひさし）からの漏水	屋根・庇等自体の劣化、コーキング材の劣化、防水層の劣化
中間階	外壁や出窓やベランダからの浸水	• タイルの剥（は）がれやクラック（ひび割れ） • 防水などのためにタイルの継ぎ目やすき間を埋めたコーキング材の劣化 • 出窓の屋根と外壁との取り合い（接続）箇所やサッシ回りの劣化 • ベランダの床表面の傷・破損

❷ 雨水以外の漏水

雨水以外にも、以下のような漏水の原因があります。

配管からの漏水	• 床下等の**埋設**配管・壁の内側に**隠された**配管等からの漏水 ⚠床や壁を壊す必要がある ⚠上階からの漏水が多いので、上階や横系統バルブを閉めて給水を遮断し、発生源を特定する • 給水管の**保温**不足による**結露**を原因とする漏水
室内の漏水	• 洗濯機をあふれさせたり、流し台・洗面台の排水ホースが外れている • 大雨のときのベランダからの浸水

❸ 外壁のメンテナンス

屋根や外壁では以下のような点検やメンテナンスを行います。

傾斜屋根（カラーベスト等）	• 屋根表面のコケ・カビの発生 • 塗膜の劣化による色あせ・錆等による美観低下 • 夏場日差しによる気温上昇・冬場の気温低下等による変形・ゆがみ・割れ・雨漏り等 （以上を）点検する • おおむね10年前後で表面塗装を実施する

陸屋根・ルーフバルコニー	• 錆の発生やボルトキャップの劣化 • 防水面の亀裂・膨れ・シーリングの劣化 • 排水溝（ルーフドレン）がふさがれていないか } 点検する
コンクリート打ち放し	• 表面に発生した雨水の汚れ・コケ・カビの発生 • 塩害・中性化・凍害・鉄筋発錆による爆裂（ひび割れ） } 点検する
ピンネット工法の外壁	竣工後 10 年ごとに全面打診・赤外線調査を行う
タイル張りの外壁	竣工後 10 年ごとに全面打診・赤外線調査を行う ⚠ 有機系接着剤張り工法では、引張接着試験に代えることもできる

❹ 劣化現象

外壁では以下の劣化現象があります。

剥落（はくらく）・欠損	外壁タイルや仕上げ材がコンクリート躯体から落下すること
ひび割れ	塩害・中性化・鉄筋発錆等の原因により、コンクリート等がひび割れること
白華（はっか）現象	エフロレッセンスともいい、セメントの石灰等が水に溶けてコンクリート表面に染み出したもの
錆汚れの付着	• 外壁のひび割れ等から、雨水が内部に浸入し、建物の内部にある、ラス鋼（下地金鋼）などの金属部に水分が付着することで錆び、その汚れが付着すること • 錆のある金属部が雨によって濡れ、雨水と一緒に錆びが流れて付着することもある
ポップアウト	コンクリート内部の部分的な膨張圧によって、コンクリート表面の小部分が円錐形のくぼみ状に破壊されること
チョーキング	塗装面やシーリング材の表面が劣化し、粉状となる現象

CHAPTER4 過去問チェック！

問1 Sec.1 3

ＣＬＴ工法は、木質系工法で、繊維方向が直交するように板を交互に張り合わせたパネルを用いて、床、壁、天井（屋根）を構成する工法である。（R 4）

問2 Sec.2 1

住宅の居室では、開口部の面積のうち、採光に有効な部分の面積は、原則として、その居室の床面積の７分の１以上としなければならない。（R 元改）

問3 Sec.2 3

住戸の床面積の合計が100㎡を超える階では、両側に居室のある場合には、1.2 m以上の廊下の幅が必要とされる。（H29）

問4 Sec.3 1

受水槽方式のうち高置（高架）水槽方式は、水道本管から分岐して引き込んだ上水をいったん受水槽に蓄え、揚水ポンプによって屋上に設置された高置水槽に送水し、重力により各住戸へ給水する方式である。（R 2）

問5 Sec.3 2

排水トラップの封水深は、深いと破封しやすく、浅いと自浄作用がなくなる。（R 元）

問6 Sec.3 4

給気のみ機械換気とする方式は、室内が負圧になるため、他の部屋へ汚染空気が入らない。（R 3）

問7 Sec.4 2

賃貸住宅管理業者が管理する賃貸住宅が建築基準法第 12 条第１項による調査及び報告を義務付けられている場合、報告が義務付けられている者は、原則として所有者であるが、所有者と管理者が異なる場合には管理者である。（R 4）

問8 Sec.4 3

建物は時間の経過とともに劣化するので、長期修繕計画を策定し、維持管理コストを試算することは有益である一方、その費用は不確定なことから賃貸経営の中に見込むことはできない。（R 3）

問9 Sec.4 4

コンクリート打ち放しの外壁は、鉄筋発錆に伴う爆裂を点検する必要はない。（R 3）

解答

問1 ○

問2 ○

問3 ×　両側に居室がある場合は、1.6 m以上の廊下の幅が必要となる。

問4 ○

問5 ×　「浅い」と破封しやすく、「深い」と自浄作用がなくなる。

問6 ×　室内が正圧になるので、他の部屋へ汚染空気が流出する可能性がある。

問7 ○

問8 ×　賃貸経営の中に見込まなければならない。

問9 ×　点検する必要がある。

CHAPTER 5
賃貸不動産経営への支援業務

Sec. 1 賃貸住宅の企画提案

Sec. 2 保険

Sec. 3 税金

Sec. 4 会計処理

Sec. 5 不動産証券化

Section 1

賃貸住宅の企画提案

このSectionで学ぶこと

賃貸住宅の経営は、立地や物件の持つ付加価値、自己資金の有無等に大きく左右されます。適切な**賃貸住宅経営の企画を提案**することも、賃貸不動産経営管理士にとって重要な業務です。

1　賃貸住宅の活用に関する企画

賃貸住宅の活用の提案も管理業者の業務だよ

賃貸住宅の活用を支援する企画業務や提案業務は、賃貸住宅としての価値を維持・増大させるために管理業者が行う管理業務の１つです。賃貸不動産経営管理士は、企画・提案業務のために、不動産に関する基礎知識を身につける必要があります。

2　賃貸住宅の企画

どのような賃貸住宅を建てるかが重要だよ

1　賃貸住宅のコンセプトの検討

どのような賃貸住宅を建築するかは、どのような借主をターゲットにするか、物件にどのような付加価値を付けるかが重要となります。

❶ 賃貸住宅の入居者像

賃貸住宅の入居者像は、次のように分類することができます。

入居者像	特徴	考え方
仕方なく **賃貸派**	持家を購入する**資力・意欲がない**	賃料が安ければ、**安いほどよい**
とりあえず **賃貸派**	将来は持家を購入したいので、**現在は倹約**している	必要最小限の居住性能を求めるが、賃料は**安いほどよい**
あえて **賃貸派**	持家と賃貸とを比較したが、**現時点では賃貸住宅**で生活内容を重視したい	住空間に**付加価値**のついたグレードがよい
当然 **賃貸派**	持家に**こだわらない**	• 単身赴任者・転勤族や学生などで賃貸住宅で十分。**仮の住まいの意識**で、設備等の機能が充実していればＯＫ • ただし、必要最低ラインの水準は高い
積極的 **賃貸派**	住宅は**賃貸で十分**	• **良質な賃貸住宅**に住み、現在の生活をエンジョイして、自由気ままに暮らすという賃貸住宅の持つメリットを最大限実現したい • 分譲マンションで賃貸に出された物件を好む

❷ 付加価値のある賃貸住宅

賃貸住宅の企画をするにあたっては、建物の付加価値を高め、他の物件との差別化を図らなければなりません。付加価値が高いとされる賃貸住宅には、主に、次のようなものがあります。

種類	付加価値を高める内容等
①学生専用マンション	支払ってもらえる賃料に限度があるので、居住空間の質より支払**賃料の額**が重視される

②ペット可の賃貸住宅	• 室内での飼育を中心に、共用部分で**他の住民**との接触が最小限に抑えられる程度なら許可を与えるとする • 動物嫌いや動物アレルギーの**居住者**とのトラブルを避けることが基本ルール
③音楽専用（音大生用）**マンション**	供給する地域での需給バランスがあえば、希少性の高さから、一般の学生専用マンションよりも賃料を高く設定できる可能性がある
④サービス付き高齢者向け住宅（「サ高住」）	賃貸住宅等において、**状況把握**・**生活相談サービス**等を提供するもの ※介護サービスは提供しない
⑤シェアハウス	複数の者が、キッチン・浴室等の施設を共用し、それ以外の居住部分を専用使用する建物賃貸借の形態
⑥ DIY 型賃貸住宅	工事費用の負担者が誰かにかかわらず、**借主の意向を反映**した**住宅の修繕**ができる賃貸借契約やその物件のこと

3 資金調達と借入金

元利均等返済と
元金均等返済があるよ

賃貸不動産経営の事業計画を作成するためには、資金調達が欠かせません。事業に必要な総額に対して、自己資金や竣工時の入居者の礼金・敷金・保証金等の合計で補っても足りない額については、金融機関からの借入金でまかなうことになります。

借入金の返済期間は、おおむね**20 ～ 35 年が一般的**であり、その返済方法には次の２種類があります。

元利均等返済	毎回の**返済額**が同じ額になる返済方法
元金均等返済	• 毎月の返済額のうち**元金部分が同じ額**になる返済方法 • 毎回の返済額はだんだん減っていく

■ 元利均等返済と元金均等返済の比較

例 借入額 2,000 万円、固定金利年 1.5%、借入期間 30 年

月々の「元金＋利息の支払金額」が均等

返済方法	返済回	毎月返済額	元金部分	利息部分
元利均等返済	1 年目	69,024 円	44,634 円	24,390 円
	5 年目	69,024 円	47,392 円	21,632 円
元金均等返済	1 年目	79,791 円	55,555 円	24,236 円
	5 年目	76,457 円	55,555 円	20,902 円

月々の元金の支払金額が均等

不動産賃貸事業資金の融資には、毎月の返済額が変わらないため、返済計画を立てやすい「**元利均等返済**」が多く採用されています。この方法の場合、当初は金利支払の部分が元金均等返済の場合より多くなるため、そのぶん、経費に計上できる金利分も多くなります。

保険

このSectionで学ぶこと

賃貸不動産の経営は、災害等による物件の滅失や、構造上の欠陥・劣化等により、居住者や第三者へ損害を与えてしまうなど、さまざまなリスクを負っています。このリスクを分散させる効果があるのが保険です。

1 賃貸不動産経営と保険

保険はリスクを分散させる方法の1つだよ

賃貸不動産経営では、さまざまな災害や事故が発生することが予測されます。例えば、火災や地震等の自然災害によって建物に多大な損害が発生したり、建物や設備の不備で入居者や通行人にケガをさせてしまう可能性もあります。

そのような場合に備え、貸主は必要な保険に加入しておかなければなりません。

2 保険商品の分類

保険には、さまざまな種類があるよ

保険商品には、保険業法による、次のような分類方法があります。

保険の分野	保険の内容	具体例
第１分野 （生命保険）	人の**生存**および**死亡**について一定の約定のもとで保険金を支払う	終身保険・定期保険・養老保険
第２分野 （損害保険）	**偶然の事故**により生じた損害に対して保険金を支払う	火災保険・地震保険・賠償責任保険・自動車保険
第３分野 （第１分野と第２分野の中間の位置づけ）	人の**ケガ**や**病気**などに備える	傷害保険・医療保険・がん保険

ひとこと
保険の補償範囲等は、保険会社の商品によって異なるので、保険について理解を深めて、関係者にある程度のアドバイスができるよう準備をしておくことも、賃貸不動産経営に対する支援業務の１つです。

3　賃貸不動産経営と保険

損害保険が一番
賃貸不動産経営に関係するよ

賃貸不動産の経営においては、**第２分野**の「**損害保険**」である火災保険、地震保険、第三者に損害賠償をするための賠償責任保険等が有用です。

板書　損害保険の種類

①**火災保険**…いわゆる「**すまいの保険**」といわれ、火災、落雷、破裂・爆発、風災、雹災（ひょうさい）、雪災によって**建物**や家財に損害が生じた場合に補償するもの

②**地震保険**…地震、噴火およびこれらによる津波を原因とする建物や家財の損害を補償するもの
住宅の火災保険に付帯して加入する必要があり、**単独での加入は不可**

③**施設賠償責任保険**…アパート等の施設の**管理不備**や**構造上の欠陥**が原

因で、第三者に対してケガを負わせたり、**第三者**の物を壊した場合に、貸主の負う賠償責任を補償するもの

税金

このSectionで学ぶこと

賃料収入にかかる**所得税**や、不動産を所有することによりかかる**固定資産税**など、賃貸不動産の経営にはさまざまな**税金**がかかります。

賃貸不動産経営管理士は、各種税金の特徴をおさえておく必要があります。

1 不動産取得税

不動産を取得したときに課せられる税金だよ

不動産取得税とは、土地や建物等の不動産を取得したときに、その不動産の所有権を**「取得」した者**に、不動産が所在する**都道府県**が課す税金です。

不動産取得税には次の軽減特例があります。

板書 不動産取得税の特例

建物の特例	住宅	軽減税率…3%
	新築住宅	課税標準（税額算定のベース・固定資産税課税台帳の価格）…1戸につき**1,200万円**が控除
土地の特例	土地	軽減税率…3%
	宅地	課税標準…1/2

2 固定資産税

不動産を所有している人や会社に課せられる税金だよ

固定資産税は、毎年1月1日時点の土地・建物等の所有者に対し、**市区町村**が課す税金です。納税は市区町村から送られている**納税通知書**で、一括払または年4回の分納により行います。

固定資産税では、土地・建物について、次のような軽減特例があります。

板書 固定資産税の特例

建物の特例	新築住宅 （上限 120㎡）	最大5年間は固定資産税が 1/2
土地の課税標準の特例	小規模住宅用地 （200㎡以下）	固定資産税評価額×1/6
	一般住宅用地 （200㎡超）	固定資産税評価額×1/3

3 印紙税

契約書等に貼付する収入印紙のことだよ

不動産の取引においては、不動産の売買契約書や建物の建築請負契約書・ローン借入れのための金銭消費貸借契約書等の**文書**に、印紙税が課されます。印紙税の納付は、所定の**印紙（収入印紙）を契約書等に貼り**、それを**消印**することにより行います。

ひとこと

建物の賃貸借契約書には、印紙税が課されません。

4 消費税

賃貸住宅の賃料には原則として、消費税はかからないよ

消費税とは、商品・製品の販売やサービスの提供などの取引に対して課される税金です。不動産賃貸経営に関する消費税の課税・非課税は、次のとおりです。

	課税	非課税
売上（収入）	• 事務所・店舗等の賃料 • 住宅用建物の貸付けによる賃料（貸付期間１ヵ月未満） • 礼金、返還しないことが契約当初から確定している保証金・敷金 • 駐車場施設利用による収入	• 住宅用建物の貸付けによる賃料（貸付期間１ヵ月以上） • 地代（貸付期間１ヵ月以上）
仕入れ（支出）	• 水道光熱費・修繕費等の営業経費 • **仲介手数料** • ローン事務手数料 • **建物の購入代金・建築工事費** ※令和２年10月１日以降の居住用建物の購入代金・建築請負代金にかかる消費税額については仕入税額控除を認めないこととなった	• ローンの金利・保証料 • 火災保険料・生命保険料 • 契約の終了により返還される保証金・敷金 • **土地の購入代金**

5 相続税・贈与税

相続や生前贈与の際にかかる税金だよ

1 相続税

① 相続とは

相続とは、被相続人（亡くなった本人）が死亡したときに、亡くなった**本人が持っていた財産上の権利・義務**を、配偶者や子ども等の**相続人に承継・移転**させることです。

② 法定相続人と法定相続分

配偶者は、**常に相続人**となります。配偶者以外の相続人については、以下の順位で相続人となります。

板書 相続人の順位

第１順位：子

第２順位：直系尊属（亡くなった本人の父母等）

第３順位：兄弟姉妹

⚠先順位の相続人がいる場合には、後順位の者は相続人とはなりません。

また、相続分は以下のようになります。

❶相続人が「配偶者と子」の場合の相続分

配偶者…$\frac{1}{2}$

子全員で…$\frac{1}{2}$

❷相続人が「配偶者と直系尊属」の場合の相続分

配偶者…$\frac{2}{3}$

直系尊属全員で…$\frac{1}{3}$

❸相続人が「配偶者と兄弟姉妹」の場合の相続分

配偶者…$\frac{3}{4}$

＋

兄弟姉妹全員で…$\frac{1}{4}$

③ 相続税の計算

土地・建物や預貯金等の財産から、借入金や未払金等の債務を引いたものが正味の遺産額になります（生命保険金や死亡退職金はそれぞれ非課税限度額を超えた分が加算されます)。正味の遺産額から基礎控除を除いたものが、課税される遺産の総額となります。

❹ 相続税の基礎控除

相続税の基礎控除は、次の計算式により計算します。

板書 相続税の計算

- 相続税の課税遺産総額＝正味の遺産額－基礎控除額
- 相続税の基礎控除額＝ 3,000 万円＋(600 万円×法定相続人の数)

ひとこと

例えば、法定相続人が妻と子供２人の合計３人の場合には、基礎控除の金額は 3,000 万円＋ 600 万円× 3 人＝ 4,800 万円となります。

2 贈与税

贈与税とは、贈与によって財産を受け取った人に課される税金です。

❶ 暦年課税の基礎控除

贈与税の基礎控除は**110 万円**です。つまり、１年間に 110 万円以下までの贈与であれば、贈与税は課されません。

❷ 相続時精算課税制度

相続時精算課税制度とは、親から子に生前贈与する際に、贈与財産が**2,500 万円**までは**贈与税がかからず**、2,500 万円を超えた部分の金額についてのみ一律 20％の税率の贈与税を支払えばよい、という制度です。

この制度では、生前贈与分はあくまで相続分の「前払い」として扱われるので、親を相続するときには、**遺産にプラス**して**相続税を計算**することになります。

相続時精算課税を選択した受贈者の贈与税については、贈与税の課税価格から**基礎控除額 110 万円**が控除されます（令和６年１月１日以後)。

■ 相続時精算課税制度の計算

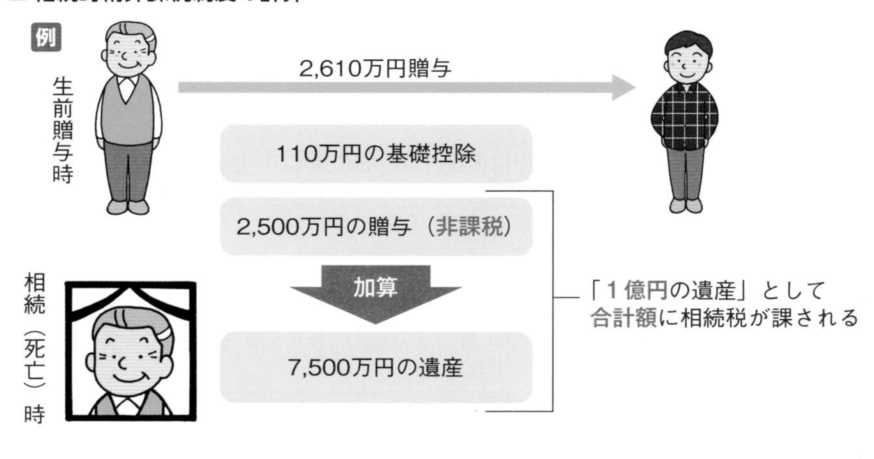

6 所得税

給料や賃料収入といった
個人の所得にかかる税金だよ

所得税は、**個人の所得**に対して課される税金です。代表的なものとして、私たちが会社からもらう給料には所得税が生じています（給与所得）。賃貸不動産経営では、**賃料収入等**に所得税（不動産所得）が生じます。

1 不動産の貸付による不動産所得

不動産を賃貸して**賃料収入等**がある場合、不動産所得が生じます。不動産所得は、収入から必要経費を差し引いて計算します。不動産所得は**他の所得（給与所得等）**と合算して所得税額を計算します。サラリーマン等の給与所得者は会社の年末調整で税額が確定するので、通常、確定申告は不要ですが、不動産所得がある場合、**確定申告**をする必要があります。

❶ 収入金額

賃貸借契約において、「その年の1月1日～12月31日までの間に受領すべき金額」として確定した金額が、「収入金額」となります。実際に入金がされていなくても、支払日が到来したら「収入」として計上しなければなりません。

② 必要経費

賃貸住宅経営に関する「費用等」は、次のように、①**必要経費**として認められて収入金額から控除できるものと、②**認められないもの**に分類されます。

①必要経費として認められるもの	•事業税 •消費税（税込みで経理を行う場合） •土地建物に係る固定資産税・都市計画税・収入印紙 •損害保険料（掛捨てのもの） •修繕費・管理手数料・広告宣伝費 •管理組合への管理費（分譲マンションの賃貸の場合） •税理士・弁護士への報酬 •減価償却費　等
②必要経費として認められないもの	•所得税・住民税 •借入金の元金返済部分 •家事費（事業に関連しない支出）　等

2 減価償却費（げんかしょうきゃくひ）の考え方と計算

① 減価償却費の考え方

減価償却費とは、物件の建設費、購入代金や高額な機械設備等の購入代金を、経費として、すべて一度に購入した年に計上するのではなく、**耐用年数**に応じた期間で**分割**して、１年分ずつ計上することをいいます。

減価償却すべき資産	減価償却の対象外の資産
•建物 •建物附属設備（電気・ガス・給水・排水設備等） •構築物（塀・門扉等） •器具・備品等（家具やパソコン）	•土地 •「減価償却すべき資産」のうち**事業の用に供していない部分**（自己居住用・自己利用部分）

② 耐用年数（たいようねんすう）

減価償却費は、資産の種類、建築構造、用途に応じた**法定耐用年数**に従って、計算します。

事業者は、償却（分割）期間を、自由に決めることはできません。

■ 建物（住宅）の法定耐用年数

		耐用年数	定額法（1年当たりの償却率）
鉄筋コンクリート造		47年	0.022
重量鉄骨造		34年	0.030
軽量鉄骨造		19年	0.053
木造	サイディング張り	22年	0.046
	モルタル塗り	20年	0.050

③ 減価償却の方法

不動産賃貸業における減価償却の方法には、主に**定額法**と**定率法**があります。

①定額法	**毎年の減価償却費が同額**となるように計算する方法 • **個人**の場合には、原則、**定額法**により計算する • **建物**と平成28年4月1日以降取得の**建物附属設備・構築物**については、**定額法**で計算する
②定率法	**初期に減価償却費を多く**計上し、年が経つに従って減価償却費が**一定の割合で減少**するように計算する方法 ⚠器具・備品については**定率法**も**選択可**

Section 4 会計処理

このSectionで学ぶこと

賃貸住宅管理業者は、借主から家賃を徴収し貸主に支払う業務を行います。徴収した家賃を**分別管理**する等、適切な会計処理をするためには、**仕訳**や**貸借対照表**・**損益計算書**についての知識が必要となります。

1 会計処理

ルールに従った取引処理（記録）が必要だよ

財産の分別管理が賃貸住宅管理業法で法的義務となりました。そのため、賃貸住宅管理業者は、会計上も、受領した金銭がいずれの管理受託契約に基づく管理業務に係るものであるか、帳簿や会計ソフト上で、直ちに判別できる状態で管理しなければなりません。そのため、補助科目を設定したり、勘定科目を分ける等して分別管理の仕訳が必要となります。

2 企業会計原則

適切な会計かどうかを判断するためのルールだよ

企業会計原則とは、すべての企業が従うべき企業会計の基準を要約したものです。企業は株主や金融機関等に業績を明示しなければなりませんが、会計のルールが定められていなければ正しい業績を把握できません。そこで、**企業会計原則**という会計の普遍的なルールが定められました。企業会計原則のうち、一般原則の７つを覚えておきましょう。

①真実性の原則	企業会計は、企業の財政状態および経営成績に関して、**真実な報告**を提供するものでなければならない
②正規の簿記の原則	企業会計は、すべての取引につき、**正規の簿記の原則**に従って、正確な会計帳簿を作成しなければならない
③資本取引・損益取引区分の原則	**資本取引**と**損益取引**とを**明瞭に区分**し、特に資本剰余金と利益剰余金を混同してはならない
④明瞭性の原則	企業会計は、財務諸表によって、利害関係者に対し必要な会計事実を**明瞭に表示**し、企業の状況に関する判断を誤らせないようにしなければならない
⑤継続性の原則	企業会計は、その処理の原則及び手続を**毎期継続**して適用し、みだりにこれを変更してはならない
⑥保守主義の原則	企業の財政に**不利な影響**を及ぼす可能性がある場合には、これに備えて適当に**健全な会計処理**をしなければならない
⑦単一性の原則	株主総会提出のため、信用目的のため、租税目的のため等種々の目的のために異なる形式の財務諸表を作成する必要がある場合、それらの内容は、信頼しうる会計記録に基づいて作成されたものであって、政策の考慮のために**事実の真実な表示をゆがめてはならない**

3 損益計算書と貸借対照表

企業の経営状況や財務状況が表示されるよ

1 損益計算書

損益計算書は、その企業における１年間の収益性・成長性などの経営成績を示す決算書をいいます。損益計算書は、**収益・費用・利益**の３つの要素から成り立っており、収益から費用を差し引くことで利益を計算します。

■ **損益計算書**

科目	金額	
売上高	×××××××	
売上原価	××××××	
売上総利益	×××××××	売上高－売上原価
販売費及び一般管理費	××××××	
営業利益	××××××	売上総利益－販売費及び一般管理費
営業外収益	×××××	
営業外費用	×××××	
経常利益	××××××	営業利益＋営業外収益－営業外費用
特別利益	×××	
特別損失	×××	
税引前当期純利益	××××××	経常利益 ＋ 特別利益－特別損失
法人税・住民税・事業税 法人税等調整額	×××××	
当期純利益	××××××	

2 貸借対照表

貸借対照表は、ある時点における企業の資産状況を示す決算書類です。貸借対照表は左側に資産、右側に負債と純資産が記載されます。

■ 貸借対照表

資産の部	負債の部
流動資産	流動負債
固定資産	固定負債
有形固定資産	**純資産の部**
無形固定資産	資本金
投資その他の資産	資本剰余金
繰延資産	利益剰余金

4 仕訳と勘定科目

取引を帳簿に記録する作業だよ

仕訳とは、1つの取引を借方（左側）と貸方（右側）に分解し、勘定科目(取引の記録・計算を行うための整理名）と金額を決定することをいいます。仕訳では、借方と貸方の金額は一致します。

1 仕訳のルール

仕訳では、勘定科目を記載するルールが定められています。

借方	貸方
資産の増加	資産の減少
負債の減少	負債の増加
収益の減少	収益の増加
費用の増加	費用の減少
純資産の減少	純資産の増加

2 勘定科目とその分類

分類	内容	勘定科目
資産	収益獲得に貢献する財産のこと	現金預金・預け金（金融機関等に一時的に預けている金銭）・未収入金（まだ受け取っていない賃料等）・前払金（サービス等を受ける前に支払った金銭）・固定資産（建物や土地）等

負債	将来一定の財産を減らすもののこと	**預り家賃**・借入金・預り金（一時的に預かっている金銭）・未払金（先にサービスを受けて金銭を支払っていない）・前受金（賃料等を支払日前に受け取った）
純資産	資産から負債を差し引いて算出されるもので正味財産のこと	資本金・資本剰余金・利益剰余金
収益	金銭等の財産が増加する要因のこと	**管理手数料収入**・仲介手数料収入・更新事務手数料収入
費用	金銭等の財産が減少する要因のこと	外注費・清掃費・給与・消耗品費・水道光熱費・旅費交通費

3　仕訳の例

物件の借主（入居者）から家賃 10 万円を管理業者が集金し、管理手数料 5,000 円を差し引いたうえで管理業者がオーナーに家賃を支払う場合

❶　集金時

物件オーナー

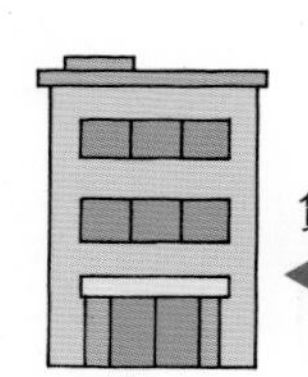
管理業者

借主（入居者）

・賃料10万円を受領したので現金預金（資産）増加
・ただし賃料10万円は物件オーナーのもので預かっているだけ（預り家賃：負債増加）

（単位：円）

借方		貸方	
現金預金	100,000	預り家賃	100,000

❷ オーナーへの支払い時

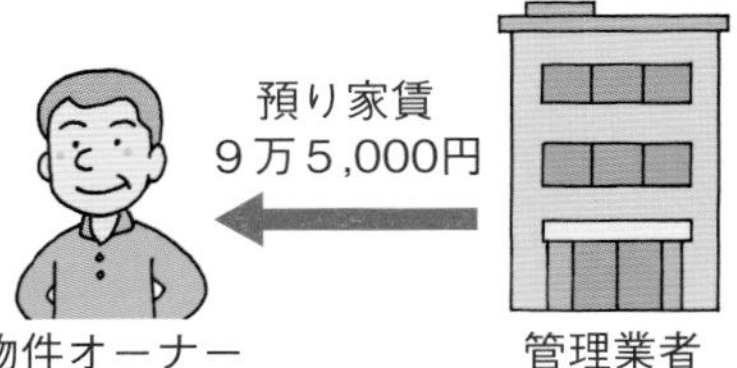

・預かっていた家賃9万5千円を物件オーナーに支払ったので現金預金（資産）減少
・預り家賃10万円（負債）減少（もう預かっていないので）
・管理手数料5,000円（収益）増加

借方		貸方	
預り家賃	100,000	現金預金	95,000
		管理手数料	5,000

物件の借主（入居者）から家賃10万円を管理業者が集金し、修繕費1万円を施工業者に支払い、差し引いた分をオーナーに支払う場合（**管理会社が、オーナーと施工業者の仲介のみをするケース（収益を計上しない例）**）

❶ 集金時

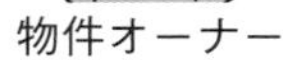

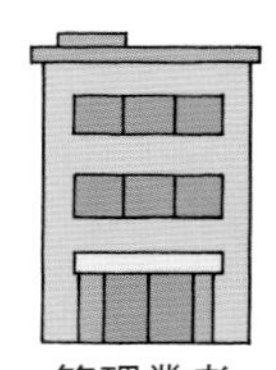

・賃料10万円を受領したので現金預金（資産）増加
・ただし賃料10万円は物件オーナーのもので預かっているだけ（預り家賃：負債増加）

（単位：円）

借方		貸方	
現金預金	100,000	預り家賃	100,000

❷ 施工業者への支払い時

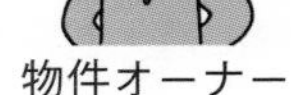
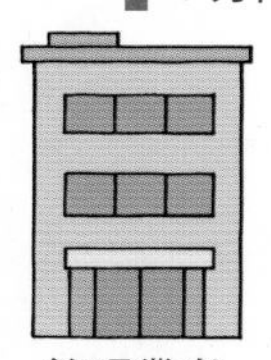

物件オーナー　　管理業者　　借主（入居者）

・預り家賃から施工業者に支払ったので、預り家賃（負債）が1万円減少
・施工業者に支払ったことにより、現金預金（資産）が1万円減少

借方		貸方	
預り家賃	10,000	現金預金	10,000

❸ オーナーへの支払い時

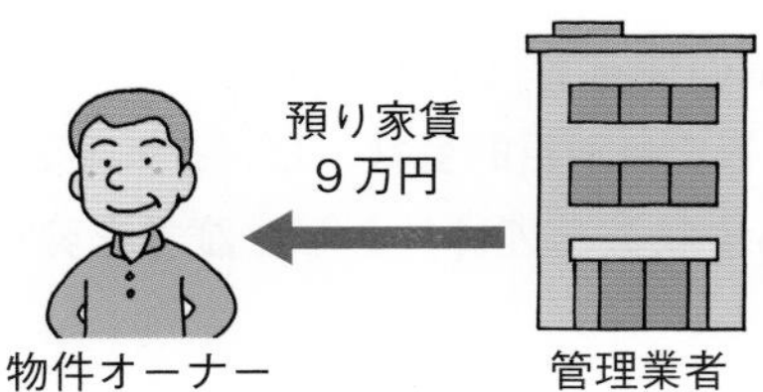

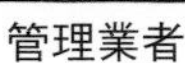

物件オーナー　　管理業者　　借主（入居者）

・預かっていた家賃を物件オーナーに支払ったので現金預金（資産）9万円減少
・預り家賃（負債）9万円減少

借方		貸方	
預り家賃	90,000	現金預金	90,000

Section 5 不動産証券化

重要度 A

このSectionで学ぶこと

資金調達が難しいため、通常、高額な資産である賃貸マンション等に投資できる人は限られます。そこで、不動産証券化という手法により、小口の**有価証券**に替えて、多数の投資家から資金を集める仕組みが考え出されました。

1 不動産証券化の仕組み

特別目的会社は債券の発行や投資家への利益の配分等のために設立される会社だよ

不動産証券化は、資産である不動産の保有者（オリジネーター）が、まず、資産である賃貸マンションやビル等を**特別目的会社（ビークル）**に移転させ、特別目的会社が、資産が生み出す収益を裏付けとした**証券を発行**し、資金調達を行う仕組みです。

■ 不動産証券化の流れ

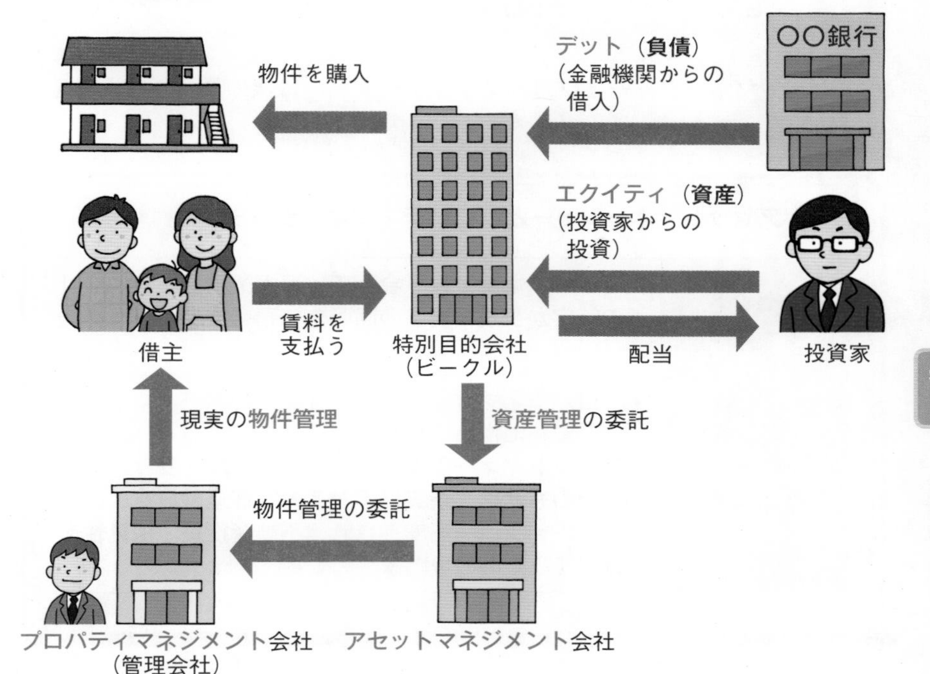

2　不動産証券化に携わる会社

管理業者はプロパティマネジメント会社に該当するよ

不動産証券化に携わる会社には、アセットマネジメント会社とプロパティマネジメント会社があります。

板書　アセットマネジメント会社とプロパティマネジメント会社

①アセットマネジメント会社……資金運用の計画・決定・実施、および実施の管理を行う会社

②プロパティマネジメント会社…現実の賃貸物件の管理・運営を行う会社

3 アセットマネージャーとプロパティマネージャー

アセットマネジメントやプロパティマネジメントの専門家だよ

アセットマネージャーとプロパティマネージャーは次の業務を行う者をいいます。

板書 アセットマネージャーとプロパティマネージャー 

アセットマネージャー	アセットマネジメント会社で一連の業務（総合的な計画の策定から投下資金の回収まで）を実際に行う専門家
プロパティマネージャー	• プロパティマネジメント会社でプロパティマネジメント業務に携わる担当者 • アセットマネージャー**から選任・委託**を受け、その**指示のもと**に、現実に不動産の管理運営を行い、キャッシュフローを安定させ、不動産投資の**採算性を確保**するための専門家

4 プロパティマネジメント会社の業務

報告業務や提案業務等は投資家にとって重要だよ

プロパティマネジメント会社の業務は、基本的には賃貸管理業務と同じですが、投資家**のために行われる**という側面から、以下の業務が特に重視されています。

1 報告業務

投資家に対する説明および適切な時期の情報開示は、投資家のための業務の根幹です。そのために、アセットマネージャーに対する報告書の提出は、プロパティマネジメントにおいて重要な業務となります。

プロパティマネジメント会社の報告業務は、**アセットマネージャーとの賃貸管理受託契約**に基づいて行われます。

2　調査・提案業務

調査・提案業務は、不特定の投資家等の投資判断に役立つよう、論理的な説得力が必要です。

❶　テナントリテンション

提案業務には、「**テナントリテンション（借主の維持）**」が含まれます。借主の入替えによる空室リスクやリフォーム等のコスト増は、不利益を生みます。そのため、可能なかぎり既存の借主を維持することは、重要なプロパティマネジメント業務の１つです。

❷　コンストラクションマネジメント

中・長期的な建物・設備の改修・修繕の計画を策定し、実施する業務を「**コンストラクションマネジメント（CM）**」といい、重要なプロパティマネジメント業務の１つです。

3　所有者や投資家等の交代に関する業務

証券化された物件では、投資目的の達成によって権利が譲渡され、**投資家**や**所有者**が**頻繁**に**交代**します。そのため、所有者の交代に際し、旧所有者から新所有者に貸主の地位が**円滑に引き継がれる**ように尽力することは、重要なプロパティマネジメント業務の１つです。

CHAPTER5 過去問チェック！

問1 Sec.1 2

賃貸住宅における入居者像の「とりあえず賃貸派」は、家を持つことにはこだわらず、賃貸住宅で十分と考えているのが特徴である。(H30)

問2 Sec.2 2

賃貸不動産の経営における危険を軽減・分散するための重要な方策の１つである火災保険は、保険業法上の「第二分野」に分類される損害保険の一種である。(R 2)

問3 Sec.2 3

地震保険は、地震、噴火又はこれらによる津波を原因とする建物や家財の損害を補償する保険であるが、特定の損害保険契約（火災保険）に付帯して加入するものとされており、単独での加入はできない。(R 3)

問4 Sec.3 5

法定相続人が配偶者と子２人の場合の遺産に係る基礎控除額は、「3,000 万円＋ 600 万円×３人＝ 4,800 万円」となる。(R 元)

問5 Sec.3 6

サラリーマン等給与所得者は会社の年末調整により税額が確定するので、通常は確定申告をする必要はないが、不動産所得がある場合には、確定申告により計算・納付をしなければならない。(R 3)

問6 Sec.3 6

所得税、住民税及び事業税は、いずれも不動産所得の計算上、必要経費に含めることができない。(H27)

問7 Sec.4 2

明瞭性の原則とは、企業会計は、すべての取引につき、正規の簿記の原則に従って、明瞭かつ正確な会計帳簿を作成しなければならないことをいう。(R 4)

問8 Sec.5 4

プロパティマネジメントにおいては、所有者の変更に伴う業務は、投資家のために重要性が高い業務ではなく、アセットマネージャーの業務である。　(R元)

解答

問1 ×　将来は持ち家を購入したいと考えているため、現在は倹約しているという点が特徴である。

問2 ○

問3 ○

問4 ○

問5 ○

問6 ×　事業税は必要経費に含めることができる。

問7 ×　明瞭性の原則とは、企業会計は、財務諸表によって、利害関係者に対し必要な会計事実を明瞭に表示し、企業の状況に関する判断を誤らせないようにしなければならないとするものである。

問8 ×　所有者の変更に伴う業務は、プロパティマネジメント業務である。また、重要性の高い業務である。

MEMO

さくいん Index

あ行

アスベスト　121

アセットマネージャー　168

アセットマネジメント会社　167

委任　89

印紙税　152

請負契約　93

エレベーター　133

オプトアウト　98

か行

会計処理　159

鍵　39

壁式構造　115

換気設備　130

元金均等返済　146

勧誘者　17

管理業務　5

元利均等返済　146

管理受託契約　89

管理受託契約の締結時の書面　13

管理受託方式　7

企業会計原則　159

給水方式　123

給湯設備　133

共益費　65

供託　63

強迫　84

業務管理者　9

クレーム　42

計画修繕　136

減価償却費　157

原状回復ガイドライン　52

公正競争規約　34

公正証書　50

個人識別符号　95

個人情報　95

個人情報データベース等　96

個人情報取扱事業者　96

個人情報保護法　95

個人データ　96

誇大広告　18

固定資産税　152

さ行

詐欺　84

錯誤　84

サービス付き高齢者向け住宅　99, 146

サブリース住宅標準契約書　108

サブリース方式　7

敷金　66

敷引き　68

事後保全　135

シックハウス　120

終身建物賃貸借制度　99

住生活基本計画　102

住生活基本法　102

修繕計画　136

修繕履歴　137

住宅確保要配慮者　101

住宅宿泊事業法　100
住宅セーフティネット法　101
重要事項説明書　11, 20, 34
受水槽　125
障害を理由とする
差別の解消の推進に関する法律　105
消費者契約法　103
消費税　153
消防設備　129
所得税　156
所有者の変更　77
自力救済　48
仕訳　162
随伴性　86
制限行為能力者　82
制振構造　118
清掃業務　46
成年被後見人　83
増減額請求権　64
造作買取請求権　62
相続時精算課税制度　155
相続税　153
贈与税　155
損益計算書　160

た行

貸借対照表　161
耐震構造　118
滞納賃料　48
宅建業法　32
チョーキング　139
賃借権の譲渡　73
賃貸住宅　4
賃貸住宅管理業　4
賃貸住宅管理業者　5, 23
賃貸住宅標準管理受託契約書　107
賃貸住宅標準契約書　106
賃貸不動産経営管理士　26
ツーバイフォー工法　117
定期建物賃貸借　80
定期調査　135
鉄筋コンクリート造　115
鉄骨造　114
鉄骨鉄筋コンクリート造　115
テナントリテンション　169
電気設備　131
転貸借契約　74
特定賃貸借契約　16
特定賃貸借契約の締結時の書面　21
特定賃貸借標準契約書　108
特定転貸事業者　16
特別目的会社　166
独立性　86

な行

内容証明郵便　49
入居審査　38
根保証　88

は行

排水トラップ　126
白華現象　139
必要費　61
被保佐人　83
被補助人　83
付従性　86
不動産取得税　151
不動産証券化　166
プレハブ工法　117
プロパティマネージャー　168

プロパティマネジメント会社　167
分別の利益　87
法定更新　70
防犯対策　47
保険　148
補充性　87
保証　85
保証金　67
ポップアウト　139
保有個人データ　96

ま行

マスターキー　39
未成年者　82
無断譲渡　75
無断転貸　75
免震構造　118

や行

有益費　61
予防保全　135

ら行

ラーメン構造　115
倫理憲章　27
礼金　67
連帯保証　87
漏水　137

◎執筆者
小澤 良輔（TAC専任講師）

◎装丁／Nakaguro Graph（黒瀬 章夫）

2025年度版　みんなが欲しかった！
賃貸不動産経営管理士　合格へのはじめの一歩

(2022年3月25日　初　版　第1刷発行)
2024年11月25日　初　版　第1刷発行

編著者　TAC株式会社
(賃貸不動産経営管理士講座)
発行者　多田敏男
発行所　TAC株式会社　出版事業部
(TAC出版)
〒101-8383 東京都千代田区神田三崎町3-2-18
電話　03(5276)9492（営業）
FAX　03(5276)9674
https://shuppan.tac-school.co.jp/
組　版　朝日メディアインターナショナル株式会社
印　刷　株式会社　光　邦
製　本　東京美術紙工協業組合

ISBN 978-4-300-11501-5
N.D.C 673

全国公開模試

本試験出題傾向を反映した模試で本試験を疑似体験！

1 本試験を徹底分析したTAC渾身の予想問題で予行練習！

2 Web解説講義で復習を徹底サポート！

Web解答解説講義

無料配信！

全国公開模試を受験
▼
「解答解説冊子」で理解を深め
▼
「Web解答解説講義」で知識を定着

全国公開模試を受験するだけでなく、その後しっかりと復習することが重要です。そのため、解答解説冊子の他にWeb解説講義を無料配信いたします。間違えた箇所をしっかりと復習することで弱点補強&実力アップにつながります。

3 個人別成績表で実力判定

4 オンライン提出できる「Web模試」サービスでより受験しやすく！

自宅受験（Web模試）の方は、全国公開模試の問題をTAC WEB SCHOOLマイページ上で解答することができます。答案提出締切日までにWeb上で解答を送信すれば成績判定いたします。マークシートを郵送する手間が省け、より受験しやすくなりました。

便利な機能

❶ 問題冊子が手元になくても解ける
❷ 解答した問題・解答していない問題が一目で分かるので、分からない問題は後回しにもできる
❸ 制限時間のカウントダウン機能で、時間内に解答する練習もできる

※詳細につきましては、ホームページにて2025年8月にご案内予定です。

(2024年2月現在)

書籍のご購入は

1 全国の書店、大学生協、ネット書店で

2 TAC各校の書籍コーナーで

資格の学校TACの校舎は全国に展開!
校舎のご確認はホームページにて

資格の学校TAC ホームページ
https://www.tac-school.co.jp

3 TAC出版書籍販売サイトで

CYBER BOOK STORE TAC出版書籍販売サイト

TAC 出版 で 検索

https://bookstore.tac-school.co.jp/

新刊情報をいち早くチェック!

たっぷり読める立ち読み機能

学習お役立ちの特設ページも充実!

TAC出版書籍販売サイト「サイバーブックストア」では、TAC出版および早稲田経営出版から刊行されている、すべての最新書籍をお取り扱いしています。
また、会員登録(無料)をしていただくことで、会員様限定キャンペーンのほか、送料無料サービス、メールマガジン配信サービス、マイページのご利用など、うれしい特典がたくさん受けられます。

サイバーブックストア会員は、特典がいっぱい!(一部抜粋)

通常、1万円(税込)未満のご注文につきましては、送料・手数料として500円(全国一律・税込)頂戴しておりますが、1冊から無料となります。

専用の「マイページ」は、「購入履歴・配送状況の確認」のほか、「ほしいものリスト」や「マイフォルダ」など、便利な機能が満載です。

メールマガジンでは、キャンペーンやおすすめ書籍、新刊情報のほか、「電子ブック版TACNEWS(ダイジェスト版)」をお届けします。

書籍の発売を、販売開始当日にメールにてお知らせします。これなら買い忘れの心配もありません。

書籍の正誤に関するご確認とお問合せについて

書籍の記載内容に誤りではないかと思われる箇所がございましたら、以下の手順にてご確認とお問合せをしてくださいますよう、お願い申し上げます。
なお、正誤のお問合せ以外の**書籍内容に関する解説および受験指導などは、一切行っておりません。**
そのようなお問合せにつきましては、お答えいたしかねますので、あらかじめご了承ください。

1 「Cyber Book Store」にて正誤表を確認する

TAC出版書籍販売サイト「Cyber Book Store」の
トップページ内「正誤表」コーナーにて、正誤表をご確認ください。

CYBER BOOK STORE TAC出版書籍販売サイト

URL:https://bookstore.tac-school.co.jp/

2 1の正誤表がない、あるいは正誤表に該当箇所の記載がない ⇒ 下記①、②のどちらかの方法で文書にて問合せをする

★ご注意ください★

お電話でのお問合せは、お受けいたしません。
①、②のどちらの方法でも、お問合せの際には、「お名前」とともに、
「対象の書籍名(○級・第○回対策も含む)およびその版数(第○版・○○年度版など)」
「お問合せ該当箇所の頁数と行数」
「誤りと思われる記載」
「正しいとお考えになる記載とその根拠」
を明記してください。
なお、回答までに1週間前後を要する場合もございます。あらかじめご了承ください。

① ウェブページ「Cyber Book Store」内の「お問合せフォーム」より問合せをする

【お問合せフォームアドレス】

https://bookstore.tac-school.co.jp/inquiry/

② メールにより問合せをする

【メール宛先 TAC出版】

syuppan-h@tac-school.co.jp

※土日祝日はお問合せ対応をおこなっておりません。
※正誤のお問合せ対応は、該当書籍の改訂版刊行月末日までといたします。

乱丁・落丁による交換は、該当書籍の改訂版刊行月末日までといたします。なお、書籍の在庫状況等により、お受けできない場合もございます。
また、各種本試験の実施の延期、中止を理由とした本書の返品はお受けいたしません。返金もいたしかねますので、あらかじめご了承くださいますようお願い申し上げます。

TACにおける個人情報の取り扱いについて
■お預かりした個人情報は、TAC(株)で管理させていただき、お問合せへの対応、当社の記録保管にのみ利用いたします。お客様の同意なしに業務委託先以外の第三者に開示、提供することはございません(法令等により開示を求められた場合を除く)。その他、個人情報保護管理者、お預かりした個人情報の開示等及びTAC(株)への個人情報の提供の任意性については、当社ホームページ(https://www.tac-school.co.jp)をご覧いただくか、個人情報に関するお問い合わせ窓口(E-mail:privacy@tac-school.co.jp)までお問合せください。

(2022年7月現在)